THE BROONS

When winter nichts are drawin' in, it's warm at Number 10.
An' summer days are always bricht up at the But 'n' Ben.
No matter whit the weather brings, there's smiles for everyone,
So gather round and let's a' hae a feast o' family fun.

D.C. THOMSON & CO., LTD., GLASGOW:LONDON:DUNDEE
Printed and published by D. C. Thomson & Co., Ltd., 185 Fleet Street, London EC4A 2HS.
ISBN 978-1-84535-380-3

Let's give a cheer –

for a happy New Year!

RICHT, THAT'S US WRAPPED UP AN' READY TAE AWA' ROOND AN' FIRST-FOOT GRANPAW.
AYE, HE STEYED AT HAME THIS YEAR!

SOON –
THAT'S FUNNY. GRANPAW'S HOOSE ISNAE LIT UP!

WHIT'S THIS? GONE TAE THE BANK?
GONE TAE THE BANK.
BUT THE BANK'S NO' OPEN THE DAY! WHIT'S HE THINKIN' O'?

HE BOCHT A'BODY REALLY GUID CHRISTMAS PRESENTS. MAYBE HE'S SKINT!

THE AULD GOAT. IF HE WAS SHORT O' A BOB OR TWA HE SHOULD'VE COME TAE SEE US!
QUICK! LET'S GET ROOND TAE THE BANK AND CUT HIM OFF!

JINGS! WHIT A NOISE O' BROKEN GLASS!
CRASH!!
DINNAE TELL ME HE'S BREAKIN' IN THROUGH THE WINDAE?

WHIT ARE YOU LOT STARIN' AT? THE BOOLIN' CLUB COMMITTEE CAME TAE VISIT ME ON AULD YEAR'S NICHT, AN' LEFT ME WI' THEIR BOTTLES!
AN' THEY'RE NO' A' SAFT DRINKS, I SEE.
BOTTLEBANK

BACK AT GRANPAW'S –
A PROSPEROUS NEW YEAR TAE A'BODY!

It would certainly seem –

that Joe's picked the wrong team.

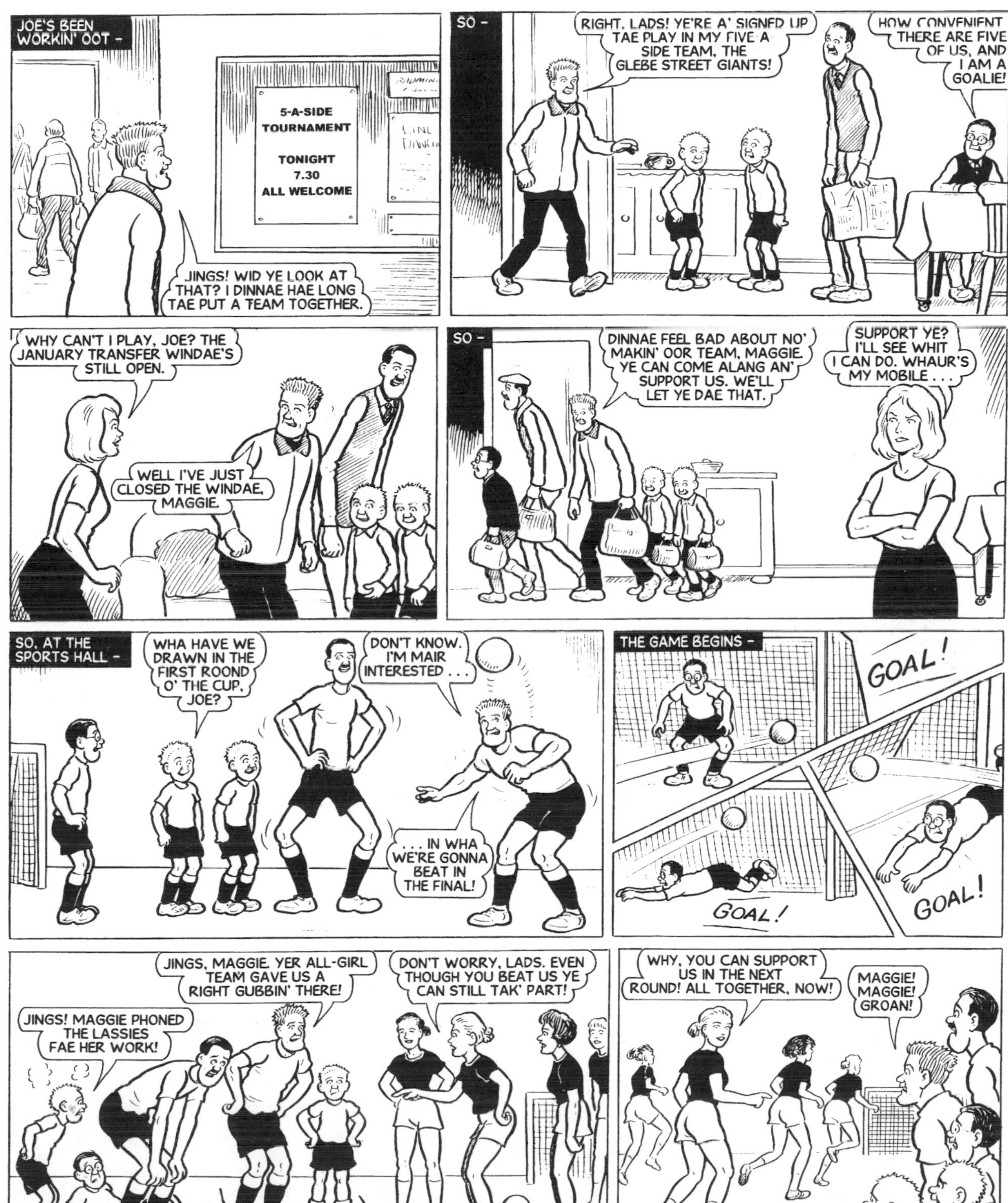
JOE'S BEEN WORKIN' OOT –
5-A-SIDE TOURNAMENT
TONIGHT 7.30
ALL WELCOME
JINGS! WID YE LOOK AT THAT? I DINNAE HAE LONG TAE PUT A TEAM TOGETHER.
SO –
RIGHT, LADS! YE'RE A' SIGNED UP TAE PLAY IN MY FIVE A SIDE TEAM, THE GLEBE STREET GIANTS!
HOW CONVENIENT THERE ARE FIVE OF US, AND I AM A GOALIE!
WHY CAN'T I PLAY, JOE? THE JANUARY TRANSFER WINDAE'S STILL OPEN.
WELL I'VE JUST CLOSED THE WINDAE, MAGGIE.
SO –
DINNAE FEEL BAD ABOUT NO' MAKIN' OOR TEAM, MAGGIE. YE CAN COME ALANG AN' SUPPORT US. WE'LL LET YE DAE THAT.
SUPPORT YE? I'LL SEE WHIT I CAN DO. WHAUR'S MY MOBILE . . .
SO, AT THE SPORTS HALL –
WHA HAVE WE DRAWN IN THE FIRST ROOND O' THE CUP, JOE?
DON'T KNOW. I'M MAIR INTERESTED . . .
. . . IN WHA WE'RE GONNA BEAT IN THE FINAL!
THE GAME BEGINS –
GOAL!
GOAL!
GOAL!
JINGS! MAGGIE PHONED THE LASSIES FAE HER WORK!
JINGS, MAGGIE. YER ALL-GIRL TEAM GAVE US A RIGHT GUBBIN' THERE!
AN' THEY'RE GUID!
DON'T WORRY, LADS. EVEN THOUGH YOU BEAT US YE CAN STILL TAK' PART!
BUT HOW?
WHY, YOU CAN SUPPORT US IN THE NEXT ROUND! ALL TOGETHER, NOW!
MAGGIE! MAGGIE! GROAN!

Puttin' pictures on a wall –

isnae very hard at all.

THERE YE ARE, MAW. THE RE-DECORATING'S DONE, AN' THE ROOM'S A' PAPERED AND PENTED.
THAT'S BRAW. A' I NEED NOW IS A BONNIE PICTER TO HANG ON THE WALL.
ARTHUR'S SEAT IN SUMMER. IS THAT NO' BONNIE?
I'LL KNOCK THE NAIL IN – ABOOT HERE?
NOW CANNY WI' THAT HAMMER. YE KEN WHIT THAT PLASTER'S LIKE.
BANG!
WHIT DID I TELL YE, YE DAFT GALOOT?
JINGS. THAT'S TORN IT.
JINGS, PAW. YE'VE GOT MAW CRACKIN' UP.
LIKE THE WALL.
DINNAE WORRY, MAW. WE'LL EASY GET A BIGGER PICTER TAE COVER UP THE CRACKS IN THE WALL.
SO –
HOW'S THAT?
AYE. THE BUACHAILLE ETIVE MOR WILL COVER THE CRACKS NAE BOTHER.
I'LL NEED A BIGGER NAIL FOR THE BIGGER HILL, NAE DOOT.
BANG!
ACH. WID YE LOOK. YE'VE CAUSED MAIR AN' BIGGER CRACKS.
THE FUNNY THING IS, I'M NO' EVEN SURPRISED. YE'D THINK YE WERE TRYIN' TAE KNOCK THE HOOSE DOON.
IT'S BACK TAE THE DRAWIN' BOARD, LADS.
AND SO –
HEN'S THE LAD TAE PENT THE TAP O' BEN NEVIS.
I HAD TAE DAE SUMMIT TAE HELP.
ME'S DAEIN' FLOOERS.

Who's awfy posh – wi' loads o' dosh?

TAXI

I'M STANDIN' IN FOR MY MATE, IAN, ON HIS SHIFT WI' THE TAXIS TONIGHT. IT'S THE DRIVERS' NIGHT OOT, SEEIN' AS THEY WORK AT CHRISTMAS AN' NEW YEAR.

SO –
TAXI
THIS CAN BE A QUIET TIME O' YEAR FOR THE TAXI BUSINESS.
TAXI

BUT, JUST THEN –
TAXI!
JINGS! IT'S GRANPAW – AN' HE'S WI' A POSH WIFIE!

TAE MY PLACE, DRIVER. FIRST RIGHT, THEN . . .
AYE, I KEN WHAUR IT IS!
YOUR HOUSE MUST BE VALUABLE AT TODAY'S PRICES.

SOON, AT GRANPAW'S HOOSE –
THERE YOU GO, CABBIE . . . ER, HEN . . . DO ACCEPT THIS SMALL TIP, WON'T YOU?
I SO LIKE A MAN WHO'S GENEROUS!
ACH, HE'S REALLY SHOWIN' AFF FOR THIS DAME'S BENEFIT.

QUICK, DAPHNE. GRANPAW'S GOT A DATE, AN SHE'S ONLY INTERESTED IN WAN THING – HIS MONEY!
GRANPAW'S AYE BEEN INCLINED TAE THROW HIS MONEY ABOOT. MIND YOU, IT'S USUALLY ON BACCIE AN' A BUMPER BAG O' SWEETIES.

AND SO –
NOO, LOOK HERE, MISSUS WHATEVER YER NAME IS, I'VE SEEN THROUGH YER – WHAT'S THIS?

HERE'S A SMALL TIP FOR YE. DINNAE INTERFERE IF YE CANNAE GET YER FACTS RICHT!
IT'S THE POSH WIFIE FAE THE TAXI. BUT SHE'S NO' POSH AN' NO' A WIFIE!
WE WERE JUST REHEARSIN' OOR PARTS FOR THE BOOLIN' GREEN PLAY, YE BIG GOWK!
TAXI FOR HEN!

Out wi' the auld, in wi' the new –

poor auld Granpaw's feelin' blue!

I'VE GOT A NEW BUNNET FOR GRANPAW.
A FAIR SWAP, IF YE ASK ME!
AT HAME —
THERE YE GO, GRANPAW – A BRAND NEW BUNNET IN THE LATEST STYLE!
THANKS, PET, BUT I'M RICHT ATTACHED TAE THIS AULD YIN.
THAT BUNNET'S A DISGRACE – IT'S THAT MANKY IT COULD WALK OOT O' HERE OAN ITS AIN!
IT'S BEEN A FAITHFU' SERVANT FOR MANY YEARS!
GOOD RIDDANCE TAE BAD RUBBISH!
FAREWELL, AULD FRIEND!
THERE! THE NEW YIN'S MUCH MAIR THE THING FOR A FASHIONABLE MAN ABOOT TOON.
ACH! IT'S JIST NO' AS COMFY AS AULD FAITHFUL!
I'M AWA' TAE RETRIEVE THE OTHER YIN, FOR AT LEAST WEARIN' ABOOT THE HOOSE OR WHEN I'M DAEIN' A BIT O' DAE IT YERSEL'!
THERE'S NAE TELLIN' THE AULD GOWK HOW MUCH MAIR HANDSOME HE IS IN THAT YIN!
BUT —
ACH! THE COMFY BUNNET'S STUCK UP A TREE – I'LL NEED TAE GET PAW TAE REEL IT IN FOR ME. HE'S A BRAW ANGLER IS PAW – ONLY LAST WEEK HE HOOKED A SHOPPIN' TROLLEY DOON AT THE CANAL!
SO —
I'M SORRY, GRANPAW – I CANNAE HOOK IT FOR YE. IT LOOKS LIKE YON CRAW FINDS IT JUST AS COMFY AS YOU USED TAE!
BIRD BRAINS, BOTH O' YE!
SCUNNERED! THE WEE BLACK PEST HAS MADE IT INTAE A NEST!

For Maggie it's nae doddle –

bein' a super model.

HERE'S A LETTER FOR MAGGIE FAE THE MODELLIN' AGENCY.
I WISH I COULD GET SOME PART TIME MODELLIN' WORK. IT'D BEAT BEIN' STUCK BEHIND A COUNTER IN A BAKER'S SHOP.
IT'S BEIN' IN FRONT O' THE BAKER'S COONTER THAT STOPS DAPH FAE BEIN' A MODEL.

NAE FEAR, DAPHNE. YE JIST WERENAE BLESSED WI' MAGGIE'S LOOKS.
AYE. SHE'S THE BONNIEST O' THE BROONS . . .
HUH!

. . . THOUGH, SOME MORNIN'S YE MICHT NO' GUESS IT.
OH, AYE, VERY GLAM!
YOU'RE JIST JEALOUS, DAPHNE BROON. IT TAK'S A LOT O' WORK TAE MAINTAIN MA LOOKS . . .

. . . AND IT'S JIST PAID AFF! THE AGENCY WANT ME TAE BE THE SPOKES MODEL FOR SUNSHINE HOLIDAYS IN THE TROPICS!
WHIT?

AND . . .
THEY'LL NAE DOOT BE JETTIN' ME AFF TAE THE BAHAMAS, WI' A' THAT GOLDEN SAND, JIST LIKE MA GOLDEN HAIR . . . CLEAR, BLUE WATER, LIKE MA CLEAR, BLUE EYES . . .
YE LUCKY THING. I WISH IT WIS ME!

YOU? YE'RE MAIR LIKE A WET WEEKEND IN AUCHENTOGLE. NOO, WHAUR ARE MA SWIMSUITS . . . ?

SO . . .
AT LEAST TRY AN' SMILE, MISS BROON. YE'RE SUPPOSED TAE BE ENJOYIN' THE TROPICAL HEAT.
I'M T . . . TRYIN' T . . . TAE SMILE . . .

SUNSHINE HOLIDAYS
. . . BUT IT'S C . . . CAULD IN TH . . . THIS WINDAE! CAN I NO' PUT ON MA ANORAK?
CERTAINLY NOT. BUT YOU CAN PUT ON SOME MORE FAKE TAN TO COVER UP YOUR BLUE SKIN.
FOR ANCE, BEIN' STUCK WORKIN' IN A WARM WEE SHOP BEATS THE GLAMOROUS WORLD OF MODELLIN' EFTER A'!

Organic food – is no' aye good!

CRIVVENS! I'M SICK O' THIS. TROLLEYS WI' A MIND O' THEIR AIN, JAMES LAST PLAYIN' TRAVIS IN THE BACKGROUND . . .
I KEN YE LIKE THE LOCAL SHOPS, BUT THIS IS SO CONVENIENT. A'THING'S IN ONE PLACE, AND SO MUCH CHOICE.
ME SEES MA FAVOURITE CEREAL . . .
ARE YOU AFF YER TROLLEY, PAW? CAN YE NO' STEER THAT THING PROPERLY?
OOPS!
OCH, WHAT EVER HAPPENED TAE BASKETS?
SEE THAT? A FERMERS' MARKET. EVERYTHING IN ANE PLACE, ORGANIC FOOD STRAIGHT FAE THE FIELDS. THE VERY DAB!
FARMERS MARKET ORGANIC FOOD
ON SATURDAY . . .
RICHT! LET'S GET SHOPPING. HEN AND JOE, YOU GET THE MEAT. MAW, MAGGIE AND DAPH, GET THE VEG. AND TAK' THE WEANS WI' YE.
AH'M NO' A WEAN, BUT I'LL OFFER ORGANIC ADVICE . . . AN' WHIT ARE YOU DAEIN', PAW?
OCH, ME AN' GRANPAW'LL JIST HAE A WEE ORGANIC REFRESHMENT WHILE YOU GET ON WI' IT. WE'LL SEE YE BACK AT GLEBE STREET.
EH?
WHIT?
DID YE HEAR THEM? ORGANIC REFRESHMENT?
RICHT, LADS, WE'LL HAE A WEE LAUGH WI' THE DODGIN' AULD CODGERS. I'LL HAE A WORD WI' SMITHY THE FERMER HERE . . .
RIGHT, I KEN WHIT WE CAN DO TAE SORT THOSE LAZY AULD YINS OOT.
GREAT MINDS THINK ALIKE.
AND . . .
HELP MA BOAB! AH DIDNAE MEAN THE MEAT SHOULD BE THIS FRESH! AN' THERE'S ENOUGH TATTIES TO KEEP HARRY RAMSDEN'S IN CHIPS FOR A YEAR!
THERE! IT'S A' YOURS. DO-IT-YERSEL' STEAK AN' CHIPS!
AND IT'S ALL CERTIFIED ORGANIC.
ME HOPE THE FARMER DISNAE COME BACK. ME LIKES MINCE AND TATTIES.

Guess who'll get the lasses –

thanks tae evenin' classes.

CERTAIN CRETINOUS IMBECILES HAVE TAKEN UMBRAGE BECAUSE I AM MORE RECEPTIVE TO EDUCATIONAL STIMULUS!
JINGS, HORACE. HAVE YOU BEEN LEARNIN' ANITHER FOREIGN LANGUAGE DOON THE LIBRARY?
NAW! HE'S GETTIN' PICKED ON FOR BEIN' A BIG SWOT.

WEEL, IT'S HIGH TIME YE WERE SWOTTIN' UP ON SELF DEFENCE!
I SAW A NOTICE ABOOT CLASSES IN THE LEISURE CENTRE. YE COULD START TONIGHT, SON.

SO . . .
HERE, I NEED THEM TAE SEE, PAW.
YE'LL NO' SEE ONYTHIN' IF THEY GET BROKEN, ONYWAY. YE CAN SEE ENOUGH TAE KEN IF ONYBODY'S COMIN' AT YE. JIST MIND TAE DUCK.

EXCUSE ME, MISS . . . ER . . . MISTER, BUT IS THIS THE HALL FOR THE CLASSES?
AH, A NEW BOY, GOOD! WE DON'T GET MANY BOYS IN THIS CLASS. FIND A SPACE, LADDIE, AND WE'LL START THE WARM UP.

OKAY, CLASS. ARM MOVEMENTS . . . AND SWEEP OOT WI' THE LEFT . . . NOO THE RICHT . . .
THIS IS GENTLE ENOUGH. IT MUST BE WAN O' THAE T'AI CHI EXERCISES.

JINGS! I KNEW I'D BE KEPT ON MA TAES BUT, IF I WIS ATTACKED, I WOULDN'T HAE A LEG TAE STAND ON!
OKAY, NOO WE'LL PAIR OFF AND GET TAE GRIPS WI' SOME SERIOUS WORK.

HERE, YOU! YOU'RE MEANT TAE LIFT ME, NO' TRY AN' KNOCK ME FLAT!
LIFT YE? WHIT MARTIAL ART IS THAT?
ARTS, MAYBE . . . MARTIAL, DEFINITELY NO'! THIS IS THE BALLET CLASS, LADDIE. YOU WANT HALL C ACROSS THE CORRIDOR!

ACH, I TELT PAW I NEEDED MY SPECS . . . AW, NAW! I DINNAE NEED THEM TAE RECOGNISE THAE VOICES!
YOO-HOO, HORACE! NICE BAWET WESSONS?
SWANNIN' ABOOT IN SWAN LAKE, YE SAP?

YOU 'ORRIBLE SHOWER! THERE'S NOTHIN' SAPPY ABOUT THE TRAININ' MY DANCERS DO! YOU NEED TO BE FIT AN' REGIMENTED, LIKE WE WERE IN THE ARMY. I'LL SHOW YOU . . .
S . . . SORRY, MISTER . . . ER, SIR!

I'LL MAKE DANCERS OF YOU LOT IF YOU HAVE TO PIROUETTE ALL NIGHT!
YOU'RE AN OKAY MOVER, EVEN IF YOU COULDN'T FIND THE RIGHT ROOM. IF YOU CAN FIND MY SCHOOL, MAYBE YOU COULD TRY A FEW MOVES AT THE NEXT SCHOOL DISCO?
IT MIGHT NO' HAVE BEEN A FIGHTIN' CLASS BUT I STILL MANAGED TAE GET A KNOCKOUT!

It's got to be a laugh –

Mag's less popular than Daph.

IT'S VALENTINE'S DAY IN GLEBE STREET!
I HATE VALENTINE'S DAY.
ME TOO!
AYE! IT'S AWFY!

THEN . . .
HERE'S THE POST – THERE'S SOMETHIN' FOR ALL O' YE.

JINGS! I'VE GOT A VALENTINE! IT MUST BE FRAE BOBBY THE BAKER AS IT'S COVERED IN FLOUR!

THE McTAVISH TRIPLETS HAVE SENT ME ONE EACH – I KEN 'COS THEIR HANDWRITIN' IS IDENTICAL!
THIS MUST BE FRAE BIG, SKINNY LIZZY – THIS CARD WAS ON THE TOP SHELF IN THE SHOP!
HEARTS AND 'FLOURS' FRAE BOBBY!

THEN . . .
WHERE ARE ALL MY VALENTINE'S CARDS?
THERE WERE NANE FOR YOU, PET!
BILL

WHIT? I DINNAE BELIEVE IT!
HAW-HAW! THE FIRST TIME WE'VE A' GOT MAIR CARDS THAN YOU!

THEN . . .
WHIT'S A' THE COMMOTION?
BEEP! BEEP!

ACH! SCUNNERED AGAIN!
SORRY WE'RE LATE WI' YOUR CARDS, GORGEOUS – WE HAD TAE PIT OAN ANITHER VAN!
MICHTY! MAGGIE'S GOT EVEN MAIR ADMIRERS THIS YEAR!
MAGGIE
MAGGIE

What a to-do –
ower a drap o' home brew.

LTD
PICTORIAL WINE COM
JINGS, JOE. THE PRICE O' BEER IS GETTIN' HARD TAE STOMACH.
OCH, AH'VE MAYBE GOT AN IDEA, HEN, IF YE'VE GOT THE BOTTLE FOR IT!
HOME BREW
ACH! I THOCHT YE WERE GOING TAE RAID THE BOOLIN' CLUB FOR A MINUTE.
NAW, NAW! I MEANT REAL BOTTLES. LET'S MAK' OOR ANE BEER, IT'LL BE EASY.
NO' TOO MUCH YEAST. THAT'S WHIT STOUT'S A' ABOOT.
ONCE IT'S STARTED BUBBLIN' WE'LL PIT IT IN THE HALL PRESS. YE'LL NO' KEN IT'S THERE.
STOUT? IS THAT BEER FOR FAT FOWK?
AND–
WEEL, THIS IS THE LAST PINT ME AN' JOE'LL BE BUYIN' FOR A WHILE.
AYE! THE HAME BREW'S READY. IT'LL TIDE US OWER FOR AGES.
WATCH THAT STUFF. IT'S GEY STRONG!
JIST A HALF PINT O' THAT HAME BREW CAN KNOCK YE AFF YER FEET.
AH! WE'RE USED TAE DESIGNER BEERS. IT'LL NO' KNOCK US OWER.
I CANNAE WAIT TAE SEE HOW OOR STOUT'S DOIN'.
KEEP OUT BREWING IN PROGRESS
HELP MA BOAB! WE SHOULD HAVE STARTED WI' BROON ALE . . .
I TELT THEM THAT STUFF COULD KNOCK THEM AFF THEIR FEET.

Paw's friend is awfy quick tae say –
there's nae fun at their work the day.

WORKIN' HERE ISNAE LIKE THE AULD DAYS, BROON – THERE ARE NAE CHARACTERS ANY MAIR!

REMEMBER AULD JOCK McTROOL? HE WAS AS CRAZY AS THEY COME!

AYE! HE PULLED THAT MANY DOUBLE SHIFTS HE STARTED WELDING IN HIS SLEEP. THEY HAD TAE PUT STEEL TOE CAPS IN HIS BAFFIES!

WHIT ABOOT WEE JOHNNY THE APPRENTICE? MAN, WAS HE THICK!
PPLIES
WE AYE SENT HIM TAE SUPPLIES FOR A LONG 'WEIGHT' OR A TIN O' TARTAN PAINT!

I WONDER WHIT HE'S DAEIN' NOO?
I THINK HE'S A COONCILLOR!

YE KEN WHIT? I THINK I SHOULD WRITE A BOOK ABOOT MY EXPERIENCES AS A WELDER IN THE SHIPYARDS.
IT'D CERTAINLY BE A 'RIVETING' READ!

GOOD ANE, BROON! ANYWAY, I'LL HAE TAE GET BACK TAE WORK.
RICHT! SEE YE LATER, 'TARZAN'!

CHUCKLE! AND TAE THINK HE SAID THERE WERE NAE MAIR CHARACTERS!
AAEE!!OUUU!

Which will Daphne like the most – roasted beef or beans on toast?

MINCE AN' TATTIES, AULD SCOTIA'S MAIST FAVOURITE TEA.
AH, OUI! POMMES PUREE AU BIFTECK HACHE. C'EST LES KNEES DU BEE.
ME LIKES TAE MASH THEM A' THEGITHER.
IT'S NAE GUID! AH CANNAE EAT MINCE. AH'VE GONE VEGGIE.
QUICK, MAW. THE BAKED BEANS!
OCH, NO' AGAIN? NO' THE SOYA MINCE! THEM IN THE HEALTH FOOD SHOP MUST HAE 'SOYA' COMIN'.
WHIT'LL AH DAE WI' THIS SUNDAY JOINT? IT'S NO' RICHT IF WEE DAPH CANNAE HAE SOME. SHE'LL WASTE AWA' TAE A SHADOW!
TAE A SHADOW? MAIR LIKE AN ECLIPSE!
DINNAE FASH YERSEL', MAW! AH'VE GOT A CUNNIN' PLAN.
WE'RE AWA' OOT FOR A DOD O' FRESH AIR, DAPH. KEEP AN EYE ON THE DENNER.
WE'LL GET YE SOME BEANS WHILE WE'RE OOT, AN' IF YE'RE LUCKY, SOME VEGGIE TOAST TAE GO WI' THEM.
SOON
BETTER CHECK THE HORRIBLE LUMP O' DEID ANIMAL IN HERE . . . OOOH . . . THAT SMELLS GOOD!
MAYBE JIST A WEE SNACK WHILE THEY'RE OOT! AH'LL SLICE THE MEAT AFF THE BOTTOM AN' CLEAN UP EFTER MASEL' AN' NAEBODY'LL KEN.
AND . . .
PUIR LASSIE! SHE OBVIOUSLY DISNAE HAE THE STRENGTH TAE STAY AWAKE ON THIS NEW DIET.
OH, AYE? CHECK THE OVEN, MAW.
THIS LOOKED A LOT BIGGER WHEN I PUT IT IN.
AS I THOCHT, SHE COULDNAE RESIST IT. NOO LET'S GET THESE BEANS ON AN' WE'LL FINISH TEACHIN' HER A LESSON.
WHAT'S UP, DAPH? NO' LOST YER APPETITE, EH? EAT UP! THERE'S BEANS A-PLENTY!
YE HAVENAE 'BEAN' HAVIN' A WEE SNACK, EH?
GROAN!
LOOKS LIKE THE VEGGIE PHASE IS A 'HAS-BEAN'!

Just why dae ye think –

Hen Broon's in the clink?

ENJOYIN' YER MEAL, FEMILY?
RARE, PAW – IT'S GUID O' YE TAE TREAT US WI' YER WINTER BONUS.

HENRY BROON. I'LL HAVE TAE ASK YOU TO ACCOMPANY ME TO THE STATION.
I'M WAITIN' FOR THE PUNCH LINE.
THE TRAIN STATION?

NO, THE POLICE STATION –
OOR HEN? ARRESTED!
WE'LL HAVE TAE GET DOON THERE TAE FIND OOT JIST WHAT HE'S DONE.
HEN – A CRIMINAL MASTERMIND.

BUT –
HEN'S NO' REALLY BEEN ARRESTED. IT'S A CHARITY THING. A' HIS FRIENDS PAY UP TAE 'BAIL HIM OOT'!
WHIT A RELIEF!

WE'LL A' CHIP IN, SEEIN' IT'S FOR A GUID CAUSE.

RICHT, HEN. YE CAN GO NOW. YE'VE RAISED FIFTY POUNDS FOR CHARITY.

HAUD ON A MINUTE – I'LL PIT IN ANITHER TEN POUNDS . . .

. . . IF YE'LL LET ME STAY HERE THE NICHT – THIS LANG BUNK'S REALLY COMFY!
THAT'S RICHT. HEN'S FEET STICK OOT THE BOTTOM O' HIS AIN BED AN' TURN BLUE IN THIS CAULD WEATHER.
HAW, HAW!

When they see what Paw has bought –

a'body will want a shot.

MICHTY. A'BODY'S GONE DIGITAL DAFT. THE LASSIES HAVE GOT THE EBAY JEEBIES, HORACE IS ADDICTED TAE "ATTACK O' THE MUTANT HAGGISES", AN' THE TWINS ARE GETTIN' WABBIT FINGERS. WHIT HAPPENED TAE GUID AULD GAMES?

STOP THAT. YE'LL HAVE SOMEBODY'S EYE OOT!

QUICK! AFF THE ROAD. THERE'S A SOUPED-UP RELIANT ROBIN COMIN'!

ACH! I'M AFF FOR A DRAM AT THE BOOLIN' CLUB. MAYBE THAE AULD GAMES WID BE OWER DANGEROUS NOWADAYS.

JINGS! YE EVEN NEED INSURANCE WHEN YE'RE OOT WALKIN' IN CASE YE FA' DOON A STANK.
NAE RUBBISH
MODERN AN' MODEM LIFE STANKS – ER STINK.

TWENTY POUNDS FOR A BAGATELLE BOARD? I REMEMBER WHEN YE GOT THEM FREE FOR TWENTY FAG TOKENS, OR A MILLION GREEN SHIELD STAMPS!
BAGATELLE £20.00 BARGAIN
NOW THEY'VE NEAR STAMPED OUT THE SMOKIN' A' THEGITHER.

BACK HAME –
HMMM. AT LEAST NAEBODY WILL DISTURB ME IF I PING A FEW BA'S ROOND THE BAGATELLE BOARD. FAR TOO BORIN' FOR THE DIGITAL DAFTIES.

COME OAN, PAW! GIE'S A SHOTTIE.
COMPUTERS ARE JIST DIGITAL MINCE COMPARED TAE THIS.

ACH, WELL, AT LEAST I CAN GET ON EBAY AN' SEE IF I CAN FIND AN AULD THIRD LANARK SHIRT. OR THAT AUCHENSHOOGLE MONOPOLY!

Tae Hen an' Joe it looks –

like Daphne's in wi' crooks.

WE'VE NO' MET DAPH'S MYSTERY BOYFRIEND. LET'S SEE WHIT WE CAN FIND OOT ABOOT HIM.
OH, THAT'S FINE THEN, DARLIN' – AH'LL COME ROOND THIS AFTERNOON.
BETTER BACK AFF, HEN. THERE'S MAIR TAE THIS THAN MEETS THE EAR.
AYE, YOU DAE THE FORGIN' AN' I'LL BRING THE IRON.
MICHTY. DAPH'S AFF TAE DAE THAT BLOKE'S IRONIN'. AN' HIM A CRIMINAL. WHAUR'S YER WOMEN'S LIB., NOO?
IT WIS JUST A PHASE, THAT FEMINISTISM.
HARDWARE
ACH, SHE'S GONE AN' BOCHT HIM A BRAND NEW IRON. THIS LAD'S GOT HER UNDER HIS THUMB.
YE'VE THE IRON FOR THE MEN. DAE A GUID JOB, NOW.
WILL DO, MRS SMITH.
CRIVVENS. SHE'S DAEIN' THE IRONIN' FOR A CRIMINAL CLAN.
AN' WHIT A BORIN' NAME FOR A CRIMINAL EMPIRE. SMITH. NO' LIKE BROON!
WE'VE GOT TAE RESCUE HER FAE THESE CRIMINAL EXPLOITERS O' WIMMIN.
AYE. PUIR WEE LAMB. SHE NEVER WAS VERY STRONG.
HEN, JOE. FANCY MEETIN' YOU HERE. COME AN' MEET BRAD AND TOM, MASTER SMITHS. I CANNAE DECIDE WHICH ONE I LIKE BEST.
AYE. WHIT A WOMAN. I WOULD DO ONYTHIN' FOR A LASS THAT CAN CARRY HER AIN IRON.
FANCY DOIN' SOME FORGIN', BOYS? MICHT GIE YE SOME MUSCLES LIKE DAPHNE'S.

Oh, what a caper – the Bairn's foldin' paper.

ONE EFTERNOON . . .
ME'S BORED AND YE'RE BRAINY! ENTERTAIN ME, HORACE!

OKAY! I'LL SHOW YE HOW TAE DAE ORIGAMI – THAT'S PAPER FOLDING.
SOUNDS FUN!

JIST COPY WHIT I DAE!
ME NEEDS TAE CONCEN . . . CONKEN . . . THINK HARD!

SOON . . .
THERE! A LOVELY FROG.
ME LIKES THIS – SHOW ME MORE!

AND, LATER . . .
ME'S MADE AN ENTIRE ZOO O' PAPER ANIMALS!
WHIT BONNY!

THEY'RE GREAT, PET – NOO IT'S TIME FOR BED.
'NIGHT-'NIGHT!

I BET IT WAS YOU THAT TAUGHT HER, YE DAFT LADDIE!
WHIT'S THE HARM?

YE MICHT HAE GIVEN HER YESTERDAY'S PAPER INSTEAD O' THE DAY'S! I'VE NEVER TRIED READIN' THE FITBA RESULTS AFF A FROG AFORE!
OOPS!
I CANNAE READ THE TV LISTINGS AFF THIS PIGEON!

Paw's attempts at D.I.Y. –

might even mak' the neighbours cry.

HOI! IT'S HARD ENOUGH SPRING CLEANIN' WITHOOT YOU TWINS ADDIN' TAE THE WEIGHT.
MICHTY! I THINK I'VE PUT MA BACK OOT!
THERE'S A FEW SLIPPED DISCS HERE, JOE!
WHAT A STUFF WE HAVE. WE SEEM TAE HAE MAIR EVERY YEAR.
WE JUST NEED MAIR SHELVES. I'LL GET SOME AT "P AND Q" IF YE LIKE!
SPORT
SO –
ARE THESE SHELVES EASY TAE PIT UP?
P&Q
GUARANTEED NAE BITS LEFT OWER. EVEN EEJITS CAN FIT THEM!
I CANNAE MAK' SENSE O' THESE INSTRUCTIONS. THEY'RE IN RUSSIAN OR GAELIC OR SOMETHING.
I'D LOVE TAE HELP, BUT, THIS SAIR BACK . . .
NO' BE SHELFISH, JOE!
DAPHNE TAE THE RESCUE –
THANKS FOR THE, ER, WEE HELPIN' HAND, DAPH.
IT JUST NEEDED A WOMAN'S TOUCH!
I'M NO' GOIN' TAE SCREW THE SHELVES TAE THE WA'. SOME SIX INCH NAILS SHOULD DAE IT!
MIND THE NOISE! WE'VE NEW FOLK NEXT DOOR!
BANG!!
VERY PLEASED TAE MEET YE. YOU MUST BE THE BROWNS. WE ARE THE KHANS!
NICE TAE MEET YE. AS YE CAN SEE MA FATHER'S NO' A D.I.Y. EXPERT. ARE YE ONY GUID AT BRICK LAYIN'?

Joe's date's a pretty special gal –
it's jist a shame she's 'veggie' Val.

ROMANCE IS IN THE AIR . . .
HOPE MY DATE GOES WEEL WI' VEGGIE VALERIE – SHE'S A CRACKER!

AND . . .
SHE'S A VEGETARIAN, SO I'M PRETENDIN' TAE BE YIN TOO.
SO LOVELY TAE MEET A MAN LIKE YOU, JOE – THERE'S NO' MANY VEGETARIANS LIKE OORSELVES AROOND HERE!

AFTER THE MEAL . . .
THAT WIS LOVELY, JOE – WE MUST DAE IT AGAIN! UNFORTUNATELY I'VE GOT TAE GO NOW AND DAE A SHIFT AT MY FAITHER'S BUSINESS. HE'S SHORT-HANDED OR I WOULDNAE BOTHER!
THAT'S FINE, PET.

IT'S FINE INDEED – I'VE STILL GOT TIME TAE NIP IN AND HAE A GAME O' DARTS WI' PAW!
BOWLING CLUB

HOW WIS YER DATE?
NAE BAD – VAL'S A SMASHER, BUT I'M STILL STARVIN' AFTER EATIN' YON RABBIT FOOD.
RUMBLE!

LATER . . .
COME ON, JOE – LET'S TRY YON NEW CHIPPER ON THE WAY HOME, AFORE YE FADE AWA'!
RUMBLE!

SO . . .
THREE SAUSAGE SUPPERS! AS QUICK AS YE LIKE, IF NOT SOONER!

OH-OH!
JOSEPH! HOW COULD YOU?
MICHTY! CAUGHT BONNIE!
HAW-HAW!
LOOKS LIKE YE'VE HAD YER CHIPS WI' THIS LASS, JOE!

Maw's Mother's Day surprise –
is homemade bread an' pies.

SATURDAY AFTERNOON –
YE'RE MINDIN' IT'S MOTHER'S DAY THE MORN?
AYE, HEN. WE'LL NEED TAE GET MAW SOMETHIN' SPECIAL!
WHIT ABOOT SOME NICE FLOO'ERS? SHE'LL LIKE THAT.
A'BODY GIES FLOO'ERS! WE'LL NEED TAE COME UP WI' SOMETHIN' MAIR SPECIAL.
ANE O' THAE GREAT BIG FLOO'ERY CARDS, THEN?
ACH! IT'S NO' MAW'S STYLE. BESIDES, IT WOULDNAE SIT ON THE MANTELPIECE.
THAT'S BRAW. A BIG FANCY FLOO'ERY HAT. WHAT D'YE THINK?
AULD FASHIONED. A BANDANNA, MAYBE?
HOW ABOOT THIS, THEN? YOU LOT SUGGEST SOMETHIN' SEEIN' AS YE'RE SO FUSSY.
KEEP YER HAIR ON, PETALS. WE'LL THINK O' SOMETHIN' – YOU'LL SEE.
WE'LL GET WHIT WE WANT IN HERE.
EFTER A' THAT MOANIN'. AN' YE'LL NO' GET MUCH CHOICE IN ALI'S SHOP.
KHAN CORNER
HERE WE ARE. SELF RAISIN' FLOO'ER, AN' WHOLEMEAL FLOO'ER, COS MAW LIKES COOKIN' MUCH.
WHY, YE MISERABLE FLEABAGS! WHIT KIND O' GIFT IS THAT?
FLOUR
JINGS, MAW! PIES AN' PASTRY AN' HAME MADE BREAD. YE'RE SPOILIN' US AN' WE SHOULD BE SPOILIN' YOU!
IT'S WHIT I LIKE DAEIN' BEST, ONYWAY.
BUT JOE'S GOT THE OTHER KIND OF FLOO'ERS. HIM AN' HEN ARE JUST TWA BIG SAFTIES AT HEART!

The bonnie wee lamb –

finds a'thing's a sham.

ONE EFTERNOON . . .
LET'S VISIT GRANPAW.
ME LOVES ME'S GRANPAW!

IN GRANPAW'S GARDEN . . .
LOOK! HE'S GOT AN OWL.
AN' HE DISNAE GIVE TWA HOOTS!

IT'S JUST A DUMMY!
KNOCK!

AYE! IT KEEPS THE REAL OWLS AWA' FRAE MY DOO LOFT.
CLEVER!
SO A' THE WEE DOOS IS SAFE.

THIS BIRD MUST BE REAL THOUGH!

BUT . . .
IT'S ANITHER MODEL.
AW!
KNOCK!

IT KEEPS THE REAL HERONS AWA' FRAE MY GOLDFISH!

ME'S GOT THE HANG O' THIS NOO!

THIS FELLA MUST BE HERE TAE KEEP THE REAL GNOMES FRAE DIGGIN' UP YER FLOO'ER BEDS!
AYE! RICHT ENOUGH!
CHUCKLE! WHIT AN IMAGINATION THE WEE LAMB'S GOT!

The Broons a' agree – on the worst thing they see.

WHIT'S THE BEST VIEW IN SCOTLAND, HORACE?
THE BEST VIEW? WELL, IN MY VIEW . . .
. . . THERE'S NAE DOOT. IT'S EILEAN DONAN CASTLE!
AYE, IT'S A RARE VIEW, HORACE. BUT FOR SHEER GRANDEUR . . .
. . . GIE ME EDINBURGH CASTLE FAE PRINCES STREET GARDENS.
SINCE MAW TOOK EDINBURGH, PET, I'LL BALANCE IT OOT AN' TAK' A GLESCA' VIEW . . .
. . . THE BA' HITTIN' THE BACK O' THE OPPOSITION'S NET AT HAMPDEN!
WHEN SCOTLAND SCORE.
5
THEN –
WHIT A DAY I'VE HAD. I BROKE MY FALSHE TEETH AN' GOT CAUGHT IN A GALE COMIN' BACK FAE THE DENTIST'S.
WELL, WE COULDNAE AGREE ON THE BEST VIEW IN SCOTLAND, BUT I THINK WE CAN A' AGREE ON THE WORST!
DINNAE LISTEN TAE THEM, PAW. ME DINNAE THINK YE'RE THE WORST SIGHT IN SCOTLAND.

There's far too much heat –

in this Finnish hot seat.

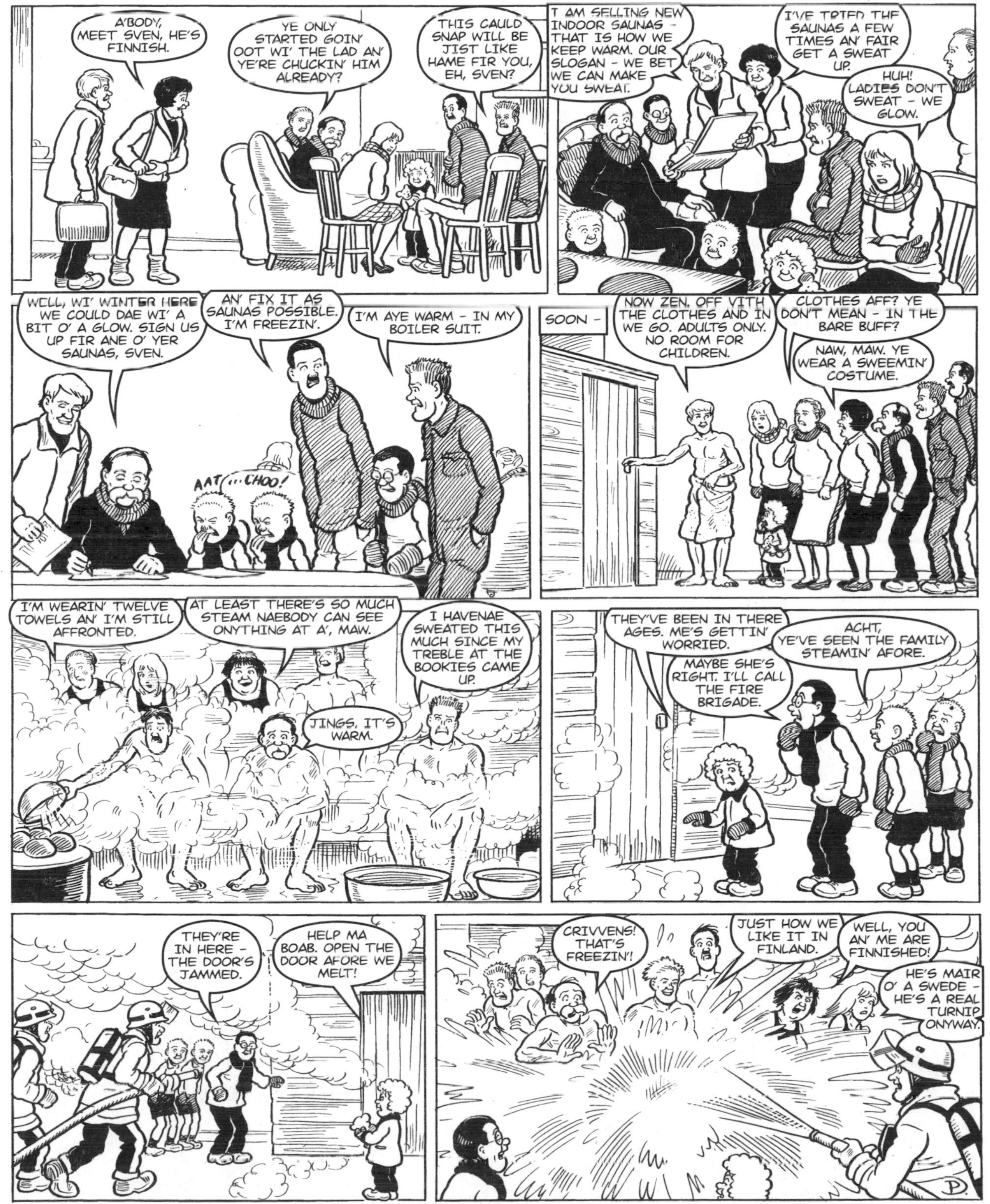
A'BODY, MEET SVEN, HE'S FINNISH.
YE ONLY STARTED GOIN' OOT WI' THE LAD AN' YE'RE CHUCKIN' HIM ALREADY?
THIS CAULD SNAP WILL BE JIST LIKE HAME FIR YOU, EH, SVEN?
I AM SELLING NEW INDOOR SAUNAS – THAT IS HOW WE KEEP WARM. OUR SLOGAN – WE BET WE CAN MAKE YOU SWEAT.
I'VE TRIED THE SAUNAS A FEW TIMES AN' FAIR GET A SWEAT UP.
HUH! LADIES DON'T SWEAT – WE GLOW.
WELL, WI' WINTER HERE WE COULD DAE WI' A BIT O' A GLOW. SIGN US UP FIR ANE O' YER SAUNAS, SVEN.
AN' FIX IT AS SAUNAS POSSIBLE. I'M FREEZIN'.
I'M AYE WARM – IN MY BOILER SUIT.
AAT ...CHOO!
SOON –
NOW ZEN. OFF VITH THE CLOTHES AND IN WE GO. ADULTS ONLY. NO ROOM FOR CHILDREN.
CLOTHES AFF? YE DON'T MEAN – IN THE BARE BUFF?
NAW, MAW. YE WEAR A SWEEMIN' COSTUME.
I'M WEARIN' TWELVE TOWELS AN' I'M STILL AFFRONTED.
AT LEAST THERE'S SO MUCH STEAM NAEBODY CAN SEE ONYTHING AT A', MAW.
I HAVENAE SWEATED THIS MUCH SINCE MY TREBLE AT THE BOOKIES CAME UP.
JINGS, IT'S WARM.
THEY'VE BEEN IN THERE AGES. ME'S GETTIN' WORRIED.
ACHT, YE'VE SEEN THE FAMILY STEAMIN' AFORE.
MAYBE SHE'S RIGHT. I'LL CALL THE FIRE BRIGADE.
THEY'RE IN HERE – THE DOOR'S JAMMED.
HELP MA BOAB. OPEN THE DOOR AFORE WE MELT!
CRIVVENS! THAT'S FREEZIN'!
JUST HOW WE LIKE IT IN FINLAND.
WELL, YOU AN' ME ARE FINNISHED!
HE'S MAIR O' A SWEDE – HE'S A REAL TURNIP ONYWAY.

Paw an' Granpaw's latest scheme –
to paint the But 'n' Ben walls cream.

IT'S THE FIRST TRIP O' THE YEAR TAE THE BUT 'N' BEN –
I HOPE THAE TWA ARE NO' COOKIN' UP ANE O' THEIR HARE-BRAINED SCHEMES.
IT'LL TAK' US DAYS TAE PENT THE HOOSE . . . UNLESS WE THINK O' SOME SHORT CUTS!
WHIT ABOOT SPRAYIN' IT?
GUID IDEA, FAITHER – I'LL MASK AFF THE DOORS AN' WINDAES AN' WE'LL GET STARTED.
I'M NO' WATCHIN' THIS.

NEARLY DONE, GET THAT TARPAULIN OWER THE SLATES, HEN.
HEN DOESNAE REALLY NEED A LADDER.

GUID JOB WE'VE KEPT THIS AULD STIRRUP PUMP FOR THE BAIRNS' BIKES.

SO –
KEEP PUMPIN', GRANPAW. MAN, THIS IS EASY, AN' A' THE FINICKY BITS ARE MASKED –
NO' BAD.
ACH, WE'RE THE BOYS.

NOT MUCH LATER –
FINISHED A'READY. WHIT A BONNY SHADE O' AFF WHITE.
SEE, MAW, AN' YOU THOCHT WE COULDNAE DAE IT. IT'LL BE PERFECT WHEN IT DRIES.
BUT IT WON'T . . .

. . . IT'S SALAD CREAM, YE EEJITS. I GOT A BIG CATERIN' SIZE DRUM FAE THE WHOLESALE.
JINGS! SHE'S RICHT. HERE'S THE PENT TIN OWER HERE.

HELP MA BOAB. A' THAT FOR NOTHIN', AN' WE'VE STILL IT A' TAE DAE.
ONYBODY WANT PENT ON THEIR SALAD ROLLS?
NAW.

Sneaky Maw is settin' traps –

to keep Paw's present under wraps.

WHIT ARE YE UP TAE, MAW?
YE KNOW FINE WEEL I'M WRAPPIN' YER BIRTHDAY PRESENT! NOO, GET OOT, YE AULD NOSEY PARKER!

AND . . .
I'M AWA' TAE THE SHOPS AN' NAE TRYIN' TAE FIND YER PRESENT. I'VE HID IT TAE STOP YE SPOILIN' THE SURPRISE LIKE YE AYE DAE.
ME, MAW? NEVER! I WOULDNAE DREAM O' DAEIN' SUCH A THING!

HOWEVER, IF I WIS TAE JIST HAPPEN TAE COME ACROSS IT BY ACCIDENT . . .

WELL, I'VE NO' ACCIDENTALLY FOUND IT UNDER THE BED OR IN THE CABINET . . . AHA!

IF I JIST GIE IT A WEE GENTLE SHAKE . . . SOONDS LIKE SOMETHIN' RATTLIN' . . . MEBBE A NEW POCKET WATCH . . . BUT IT'S TOO BIG FOR THAT . . .

IT'S QUITE HEAVY . . . BUT MEBBE NO' QUITE HEAVY ENOUGH FOR A BOTTLE . . . THOUGH IT MIGHT BE MINIATURES . . .

WIS THAT THE DOOR? IF MAW CATCHES ME I'LL NO' SEE MA BIRTHDAY. I'D BEST PIT THIS BACK EXACTLY WHAUR I FOOND IT. IT WIS BEHIND THIS BUNNET, I THINK.

PAW'S BIG DAY . . .
RICHT! LET'S GET THIS OPEN AN' SEE WHIT IT IS! IT'S BEEN DRIVIN' ME DAFT TRYIN' TAE GUESS.
RIP!
LOOK AT THE BIRTHDAY BOY GETTIN' TORE INTAE IT.

EH? WHIT'S THIS? WHIT WOULD I WANT WI' SOME BEAN TINS IN A SHOE BOX?
I KNEW YE'D GO SNOOPIN' SO I JIST WRAPPED THON UP TAE FOOL YE. YE WERE THAT BUSY LOOKIN' FOR A WRAPPED PRESENT YE NEVER EVEN NOTICED YER NEW BUNNET WHEN IT WIS RICHT IN FRONT O' YE!

The Broons are off tae Spain –
if they can catch the plane.

GET YER BAGS PACKED, QUICK. I'VE GOT LAST-MINUTE TICKETS FOR AN EASTER HOLIDAY TAE SPAIN, ON SQUEEZYJET. WE'RE OFF TAE BENIDORM!
I'M ALL READY ALREADY. GET A MOVE ON. THE PLANE LEAVES IN TWO HOURS.
I'M JUST PACKING SOME ESSENTIAL SUPPLIES.
HAVE YE GOT THE PASSPORTS, PAW? YOU KEPT THEM SINCE YOU THOUGHT WE NEEDED THEM FOR YON TRIP TAE ARRAN.
ALL THOSE HOURS LOOKIN' FOR PASSPORT CONTROL AT BRODICK!
I KEN WHAUR THEY ARE. YOU LOT GO ON AHEAD, I'LL SEE YOU AT THE AIRPORT.
TAXI
SQUEEZYJET
WE'RE ABOUT TAE CLOSE THE GATES. YE CANNAE BOARD WITHOOT PASSPORTS. SPAIN'S NO ARRAN YE KEN.
AYE, SPAIN'S CHEAPER TAE GET TAE.
THEN –
FOUND OOR PASSPORTS. THEY WERE HIDDEN BEHIND HORACE'S NUCLEAR REPROCESSING MANUALS.
NO' AFORE TIME!
CORRECT. HE'S NO' AFORE TIME, IN FACT, HE'S AFTER TIME. THE FLIGHT'S CLOSED.
WELL, THERE'S ONLY ONE THING FOR IT.
FLIGHT CLOSED
NEVER MIND. I HAD A CASE O' BAKED BEANS IN MY BAG. NAE COOKIN' FOR ME . . .
. . . AN' NAE PAELLA OR CALAMARES . . .
. . . OR SUNBATHIN'!
SO MUCH FOR CHEAP FLIGHTS TAE SPAIN. WE'RE BACK AT THE BUT 'N' BENIDORM. AN' WE'VE SPENT A FORTUNE ON TAXIS!

The family comes oot tae greet –

the new 'boy racer' on the street.

JINGS, GEORDIE. SEEIN' THIS BIKE SHOP REMINDS ME O' WHEN I USED TAE BE A BIT O' A CAFE RACER, MASEL'.
YE MUST HAE SOME MEMORY FOR HISTORY THAT FAR BACK.
TRIUMP ROCKET
DUCATI
AYE, THOSE WERE THE DAYS. A MOOTHFU' O' MIDGES AN' NAE PETROL AT THE REST AND BE THANKFUL.
WHIT BRAW SCENERY. ARE YE ENJOYIN' THIS, MAW?
YE CANNAE BE SERIOUS.
NO' FAR TAE THE PETROL STATION NOW, WEE LAMB. ONLY FOWER MILE OR SO.
PUFF! PECH!
AT NO. 10 -
BRUM BRUM BRUM!
WHIT ON EARTH IS THAT RACKET?
I CANNAE BELIEVE IT. PAW ON A BRAND NEW MOTORBIKE.
HE DOESNAE LOOK OWER CONFIDENT TAE ME.
YE SILLY AULD FOOL. WHAT ON EARTH ARE YE DAEIN' ON A MOTORBIKE AT YOUR AGE?
AN' NO' CONTENT WI' GETTIN' ANOTHER ANE, YE'RE SHOWIN' AFF. SWITCH THAT NOISY BRUTE AFF, THIS MINUTE.
IT'S NO' WHAT YE THINK . . .
HE CANNAE GET AFF. HIS WEE LEGGIES ARE OWER SHORT TAE REACH THE GROUND – THAT'S WHY HE COULDNAE STOP.
PAW, YE AULD EEJIT. YE'RE NO' EASY RIDER!
ARE YOU OKAY, BROON? YE TOOK AFF ON THAT TEST RIDE LIKE A MAN POSSESSED.
AYE, AN' HIS BIKE WILL BE RE-POSSESSED!

The TV's good the night –

but somethin's no' quite right.

MAN, IT'S GUID TAE GET SEATED.
AYE. AN' JIST IN TIME FOR THE FIRST O' THE NICHT'S SOAPS.
ACH, THIS ISNAE THE NIGHT WHEN A' THE SOAP OPERAS AN' MEDICAL DRAMAS ARE ON?
YE MEAN THERE'S A NIGHT WHEN THEY'RE NO' ON? BUT THIS IS OOR FITBA' NIGHT! IT'S A LIVE MATCH.
AWA'! YE CAN WATCH THE HIGHLIGHTS LATER.
AN' YOU CAN WATCH THE OMNIBUS REPEATS AT THE WEEKEND, CAN YE NO'!
THAT'S MUCH BETTER!
HERE!
CHEEKY BESOMS!
PAW BROON, GET THAT SWITCHED BACK THIS INSTANT!
I'VE NO' GOT THE REMOTE.
WEEL, SOMEBODY HAS IT. LOOK AT THIS, NOO!
I SMELL SOMETHIN' FISHY HERE . . . AN' NO' JIST WHIT'S BURNIN' ON THON COOKERY SHOW.
MEBBE SOMEBODY'S BEEN SITTIN' ON IT AN' SETTIN' IT AFF!
IF IT WIS DAPHNE, THE BATTERIES WID BE FLAT . . . AS WEEL AS A'THIN' ELSE!
WHIT IS YE'S A' LOOKIN' FOR?
THE REMOTE CONTROL.
HA-HA! FUNNY!
IS THE DEMOTE CAT-ROLL A WEE THING WI' COLOURED BUTTONS ON IT?
AYE. HAVE YE SEEN IT?
I GAVE IT TAE JOCKY TAE PLAY WI'. HE WIS NEEDIN' A NEW TOY.
AW! WHIT A CUTE SIGHT! THERE'S NOTHIN' ON THE TELLY THAT'S REMOTELY LIKE IT!

Singin' isnae Granpaw's style –

but he can always raise a smile.

EXIT
IT'S TALENT NICHT HERE AT THE BOOLIN' CLUB.
'TALENT' MICHT BE TOO STRONG A WORD!
I WISH THIS MAGICIAN WOULD JIST DISAPPEAR!

MAGIC! HE'S AFF! IT'S MY TURN NOO.
WHIT?

I'M GOING TAE SING AN OPERATIC ARIA – I'VE BEEN PRACTISIN' IN THE BATH ALL WEEK!
I DIDNAE KEN GRANPAW COULD SING.

O SOLE MIO . . .
NAE WONDER I DIDNAE KEN – HE CANNAE!

. . . LA-DI-DAH . . .
MERCY! HOW MUCH EMBARRASSMENT CAN ONE FAMILY TAK'?
HE'S AWA' TAE GO FOR A HIGH NOTE!

AND . . .
. . . LA-LA-LA-LA-LAAA!

HE MICHT NO' BE MUCH O' A SINGER . . .

. . . BUT HE'S RARE AT THE JUGGLIN'!

Daph's Finnish lad, Sven –

has come courtin' again.

HELLO, A'BODY. HERE'S MY FINNISH LAD, SVEN, BACK. WE MADE UP AFTER WE A' COOLED DOON A BIT ABOOT THAT WEE SAUNA PROBLEM.
GOOD EFTERNOONINGS, MISTER VON BROON.
COOLED DOON? THE FIRE BRIGADE FLOODED THE CLOSE COOLIN' US DOON.
AN' FOWK SAW ME IN MY BIRTHDAY SUIT - AN' THAT'S NO' THE PINSTRIPE ANE.
WELL, SVEN'S OPENIN' A FINNISH RESTAURANT - AN' HE WANTS YOU A' TO GO FOR A FREE MEAL.
OCH, THAT'S AWFY KIND O' YE, SVEN.
FREE? MY FAVOURITE KIND.
WELCOME TO SVEN'S DEN, FAMILY VON BROON.
WAS YON MAGNUS MAGNUSSON LAD NO' FAE FINLAND.
I THOUGHT HE WAS FAE BEARSDEN!
TODAY'S SPECIAL IS AN OLD FINNISH FAVOURITE - ROAST MOOSE.
A MOOSE? THAT'S SHOCKIN'! WE'RE NO' CATS, YE KEN.
NO, PAW - NO' THAT KIND O' MOOSE - A BIG ONE.
AYE - LIKE REINDEER.
I'M JIST GLAD THEY CUT THE ANTLERS AFF.
OCH, I KENT ALL ALONG HE MEANT THIS KIND O' MOOSE.
AYE, SURE YE DID, PAW.
MICHTY. THAT WAS FAIR BRAW, SVEN. THAT MOOSE WAS JUST LIKE ROAST BEEF. HAVE YOU EVER THOUGHT O' MINCIN' IT?
AN' MAYBE ADDIN' TATTIE AN' NEEPS?
I COULD JIST ABOOT GO A SAUNA AFTER A' THAT.
NO, I AM HAVING NO SAUNA HERE BUT I DO HAVE ONE OLD FINNISH CUSTOM.
IT'S NO' SWEEMIN' NAKED IN THE RIVER, IS IT?
IF IT IS, COONT ME OOT.
AYE, DAEIN' THE DISHES IS AN AULD SCOTS TRADITION AN' A', SVEN.
THIS IS MAIR LIKE THE STEAMIE THAN A SAUNA.
YE FIT IN WI' US RIGHT ENOUGH, SVEN.

The Broons cannae fail – to raise cash at the sale.

WE'VE GOT PLENTY OF STUFF TAE SELL AT THE CAR BOOT SALE – WE'LL MAK' A PACKET!

AND . . .
HERE! WE'VE GOT A BRAW PITCH!

GET SELLIN' – WE'RE AFF FOR A DUNNER ABOOT!
OKAY, PAW!

SOON . . .
WEEL, MAW, HOW'S IT GOIN'?

WE'VE SOLD A'THING IN THE BOOT! LET'S GET AWA' HAME!

BUT, ON THE WAY HAME . . .
MICHTY! A PUNCTURE!

AND . . .
YE'RE NO' WRANG YE SOLD A'THING – YE'VE SOLD THE JACK AND THE SPARE WHEEL!

SO . . .
MICHTY! SO MUCH FOR US MAKIN' A PACKET – WE'VE HAD TAE HIRE OOT A TOW TRUCK!
TALK ABOOT 'WHEELY' UNLUCKY!
ACME
RECOVERY

It's awfy hard just sittin' –

in a dress that isnae fittin'.

HEN'S TAKEN UP A NEW HOBBY . . .
HURRY UP, DAPHNE, I'M READY TAE START PAINTING!

AND . . .
I'VE SQUEEZED INTO MY TIGHTEST DRESS – I'M NO' WANTIN' TAE LOOK FAT FOR MY PAINTING!
ER . . . RICHT! JIST TAK' A SEAT.

THEN . . .
HAW-HAW! YE'LL NEED A BIGGER CANVAS TAE PAINT OOR DAPH!
DINNAE BE CRUEL, PAW!

BEIN' A SITTER IS AWFY BORIN' – I'LL JIST HAE ONE OR TWA WEE CHOCOLATES!

AND, LATER . . .
MICHTY! ONE OR TWA TURNED INTAE THE WHOLE BOX!

OH, DEAR! I'VE GOT AN AWFY FEELIN' SOMETHING'S ABOOT TAE GIVE!

SURE ENOUGH!
MY DRESS HAS EXPLODED!
YEEOW!
PING!

AND . . .
YE WERE RICHT, PAW! I DID NEED A BIGGER CANVAS!
MICHTY! DAPHNE MUST REALLY HATE HEN'S PICTURE. I DIDNAE THINK IT WAS THAT BAD!

What happens next –

soon converts Paw tae text.

TOAD IN THE HOLE
HAGGIS N CHIPS
SAUSAGE! MASH
ACH, CONVERSATION IS DEID. THIS TEXTIN' HAS KILLED GUID AULD-FASHIONED WORDS.
OCH, AWA' WI' YE. IT'S AWFY HANDY.
ME'S NO' ALLOWED A PHONE IN CASE THE RADIATOR FAE IT MAK'S MA HAIR GO CURLY.

OOH! I CANNAE PICK UP MY KNIFE. IT'S THAT REPETITIVE STRAIN. MY PUIR THUMB.
DEID HANDY? MA WHOLE HAND'S DEID.
OCH, YE'RE STICKIN' OOT LIKE SAIR THUMBS.

LATER -
THIS IS THE LIFE. AWA' FAE THESE RINGTONES AN' TEXT MESSAGES. NOTHIN' BUT PEACE AN' QUIET.

HEY, LOOK WHAUR YE'RE GOIN', YE BAMPOT BORN-AGAIN BIKER YE. AN' YE SHOULDNAE BE TEXTIN'!

MICHTY. MA ANKLE'S FAIR TWISTED. AH'LL NEED TAE FIND A PHONE BOX AN' GET SOME HELP. SHOULD BE ANE AROOND THE CORNER.

CRIVVENS. THE PHONE BOX IS A' SMASHED TAE BITS!
NAEBODY EVER USES IT. HAVE YE NO' HEARD O' CELLPHONES?

PAW TRIES TAE PHONE ONYWEY!
LET ME OOT, YE YOUNG TOERAGS. I'LL SEE YOU AN' YER CELLPHONES IN THE CELLS FOR THIS.
SAY "CHEESE" FOR THE CAMERA PHONE.

THE SEARCH PARTY ARRIVES -
LOOK! PAW'S DISCOVERED TEXTIN' EFTER A'.
HING ON, PAW. WE'LL TRY TAE GET THROUGH TAE YE.
PLS HELP AM STUK PHN BRKN

Daph wonders who's waitin' – when she goes speed datin'.

ACCORDIN' TAE THIS FASCINATIN' ARTICLE, THON SPEED DATIN'S THE BIG THING. MEBBE I SHOULD GIE IT A GO.
YOU AN' YER ARTICLES. SPEED EATIN'S MAIR YOUR THING, YE DAFT ARTICLE.
AND . . .
TAKE A SEAT AND A NUMBER AND YOUR POTENTIAL DATES WILL COME ROUND AND CHAT TO YOU FOR THREE MINUTES EACH.
IT TAK'S LONGER TAE BILE AN EGG!
HMMM . . . NO' BAD. QUITE PRESENTABLE. AIN HAIR AN' TEETH . . . AN' IF THEY'RE NO', AT LEAST THEY FIT.
I SEE YOU'RE NEXT ON MY LIST.
AND . . .
SO, MONTGOMERY, DAE YE HAE ONY . . . ER . . . DO YOU HAVE ANY HOBBIES OR INTERESTS?
OH, YES. YESSS CERTAINLY. I KEEP PYTHONS, YOU SSSEE.
JINGS! I WANT A LAD WI' A CRUSH ON ME, NO' A SNAKE.
HISSSS . . .
GET AFF ME, YE OVERGROWN DRAUGHT EXCLUDER!
NEXT . . .
HI, BABE. YE MICHT HAE SEEN ME IN ACTION. I'M THE DRUMMER IN A HEAVY MENTAL BAND.
GRAB!
MICHTY! YER JACKET MATCHES MY HANDBAG.
BUT DAE YE NO' MEAN HEAVY METAL?
NAW! MENTAL! TOTALLY MENTAL!
HAUF AN HOUR AN' TEN MAIR DISASTROUS DATES LATER . . .
JOE? I DIDNAE KEN YE WERE INTAE THIS SPEED DATIN' CAPER TOO.
I'M NO'. I'M JIST HELPIN' OOT WI' MA PAL'S TAXI SERVICE. WE GOT A CALL FRAE SOME LASSIE ON HER MOBILE NEEDIN' PICKED UP URGENT.
AYE, THAT WIS ME. THIS SPEED DATIN'S NO' FOR ME SO I'M BEATIN' A SPEEDY RETREAT.
TAXI

It's true what they say –

every dog has its day.

I'VE BEEN LOOKIN' EFTER AULD SMITH'S DUG WHILE HE'S BEEN AWA' VISITIN'.

I THOCHT YOU AND SMITH HAD BEEN RIVALS FOR YEARS? YE CANNAE STAND HIM!
TRUE, BUT IT'S NO' THE DUG'S FAULT - PAT'S A CANNY BEAST!

THEN . . .
I'VE COME FOR PAT, MY DUG. HE LOOKS WEEL ENOUGH DESPITE A WEEK WI' YOU!

HE'S NO' JUST WEEL. I'VE TAUGHT HIM SOME TRICKS. SIT!

AND . . .
BEG!
ROLL OWER!

GIE GRANPAW A PAW!

THAT'S AMAZIN', BROON! I'VE NEVER BEEN ABLE TAE TEACH HIM ONYTHING!
AYE! THERE'S YIN BIG SECRET TAE TRAININ' A DUG . . .

. . . FIRST OF ALL YE HAVE TAE KEN MAIR THAN IT DOES!
FUME!

Joe Broon had better hurry –

when he's deliverin' curry.

BUSINESS IS SLOW THE NICHT, MR KHAN. NO' MUCH VINDALOO NEEDIN' DELIVERED.
NO' EVEN A KORMA. YOUR TANDOORI TAXI'S NO' EVEN WARMED UP.

YES, YES – TWENTY POPPADUMS, TEN SPECIAL NAANS . . . AND HOW MANY CHICKENS? AND TWA DUPIAZAS, AND FOWER TANDOORI PIZZAS. EIGHT PAKORAS AN' TWA BOMBAY DUCKS – TWENTY MINUTES.

TWENTY MINUTES LATER –
WHO'S THIS FOR? JACK GREEN AT THE BOOLIN' CLUB? AH DINNAE THINK I KEN HIM . . .

AYE, HERE'S THE JACK AN' THE GREEN'S OOTSIDE – IF AH HAD A TIKKA MASSALA FOR EVERY TIME I HEARD THAT YIN I'D BE BIGGER THAN YON FOWK ON FAT CLUB ON THE TELLY.
WHIT?

AYE, MR KHAN, THERE'S NAE JACK GREEN AT THE BOOLIN' CLUB. JIST A LOAD O' AULD CODGERS OOT TAE GRASS.
BUT THEY PHONED AGAIN. SAID THEY WERE OWER WEAK WI' HUNGER TAE MAK' IT TAE THE CLUB, AN' COULD YE TAK' IT TAE THIS ADDRESS . . .

HERE WE ARE AT KORMA CRESCENT. MAYBE THIS IS A SET-UP, AN' I'M GONNAE BE MUGGED FOR MA MADRAS. THERE'S SOME GEY HUNGRY FOLK OOT THERE.
TAXI

SO –
IS THAT MA ORDER?
HERE, I KEN THAT VOICE! SHOW YERSEL'!

DAPHNE. THIS IS ANITHER TRICK TAE GET ROOND YER LATEST DIET, YE GREEDY LASS.
AH DIDNAE KEN YE WERE ON SHIFT, JOE. ME AN' JACKIE WERE A BIT PECKISH.
J.GREEN
NO' A WORD TAE WIR PALS AT THE SLIMMERS' CLUB, JOE BROON.

Why's Granpaw Broon – gettin' driven roond toon?

WHIT'S UP? HAS GRANPAW WON THE LOTTERY AN' NO' TELT US?
NAW. THE CRAFTY AULD SO-AND-SO'S UP TAE SOMETHIN'.

LATER –
THIS YOUNG FELLA RAN ME TAE THE DIDDLE SUPERMARKET. SAVES WALKIN', EH?
LUCKY AULD YOU!

WHIT NOO? HE'S AFF WI' ANOTHER FLASH HARRY IN A BIG MOTOR.
HE'S GETTIN' TREATED BETTER THAN ANE O' THAE PREMIER LEAGUE FITBA' PLAYERS.

LATER –
WHAUR HAVE YE BEEN? YE'VE A GLOW ON, YE AULD SCOUNDREL!
WHEESHT. MA DRIVER TOOK ME TO THE BOOLIN' CLUB F'R A WEE REFRESHMENT.

WHIT'S GOING ON? WHO ARE THESE MEN IN SUITS WI' THE BIG CARS? MEN IN BLACK. HAVE YE SEEN A FLYIN' SAUCER?
FLYIN' SAUCER, NAW. BUT I WIDNAE MIND A CUP O' TEA.

HE'S AFF AGAIN. THERE'S SOMETHIN' FUNNY GOING ON.
THERE'S JOE'S TAXI, PAW. WAVE IT DOON, AN' WE'LL FOLLOW HIM TAE SEE WHIT'S UP!
TAXI

ICE CREAM
MAYBE HE'S DONATIN' HIS BODY TAE MEDICAL SCIENCE.
WHA WID WANT IT?
JOE'S TAXI
AN' WHA WID PAY HIM IN 99s?

JINGS! I FORGOT THERE'S AN ELECTION ON.
HE'S GETTING FREE LIFTS FAE A' THE PARTIES.
POLLING STATION
BRAW! I'LL JUST PRETEND TAE VOTE AN' GET MY LIFT BACK HAME. JUST ANITHER FOWER PARTIES TAE GO!

The future's no' ower clear –

but Joe's nae need tae fear.

RICHT! GIVE ME YOUR MUGS!
WHY? ARE YE GOIN' TAE WASH THEM UP?

NO – I'M GOIN' TAE READ YOUR TEA LEAVES! I'VE BEEN READIN' UP ABOOT IT.

HEN, I WOULD SAY YE'RE ABOOT TAE GO ON A SHORT TRIP!
RUBBISH!

THE LEAVES NEVER LIE!
ABSOLUTE NONSENSE!

WE LEOS DINNAE BELIEVE IN THAT FORTUNE TELLING GUFF – OOPS!

TELT YE!
HO-HO! SPOT ON, DAPHNE – A SHORT TRIP INDEED!

I'LL BE AMAZED IF YE CAN READ MY TEA LEAVES, DAPH.
OH, AND WHY'S THAT?

I WAS DRINKIN' COFFEE!
MUTTER! THERE'S ALWAYS ONE!
GOOD ANE, JOE!
CHUCKLE!

At winnin' Horace is the best –

but can he pass the buildin' test?

I'VE WON A LOT O' TROPHIES OWER THE YEARS FOR BEIN' SAE BRAINY AT SCHOOL.

YE SHOULD PUT UP A SHELF SO'S I CAN DISPLAY THEM, PAW.
IS THAT RICHT . . .?

. . . WEEL, IF YOU'RE SAE BRAINY, NAE DOOT YE CAN PUT UP SOME SHELVES YERSEL'!
RICHT, I'LL DAE JIST THAT!

EFTER A', HOW DIFFICULT CAN IT BE?
FAMOUS LAST WORDS.

RICHT! THAT'S THE SHELF FIXED UP – NOO TAE GET MY TROPHIES SAT ON IT.
AN' I THOUGHT THAT WIS AN EGG CUP FOR EASTER EGGS!

MAYBE IT SHOULD HAE A SPOTLIGHT ON IT - THAT'LL BE MY NEXT PROJECT.
IT'S NO' A SPOTLIGHT YE'RE NEEDIN', SON. IT'S A SPIRIT LEVEL AND LONGER SCREWS!

ACH! I MUST HAE HAD A SCREW LOOSE!
CLANG!
YE MUST HAE HAD TAE THINK YE WIS ONY GOOD WI' WOOD.

HAW! HAW! SERVES YE RICHT FOR BEIN' SUCH A SHOW AFF!
YE'LL NEVER WIN A TROPHY FOR JOINERY - THAT'S FOR SURE!

A new look for Paw – could be perfect for Maw.

JINGS. I'M GETTIN' A WEE BIT THIN ON TAP. I'M NO' LOOKIN' AS YOUNG AS I USED TO. I NEED TO DAE SOMETHIN' ABOOT THAT OR MAW'LL NO' FANCY ME ONY MAIR.
SEBASTIAN
THE VERY DAB. THIS NEW-FANGLED BARBER WILL FIT ME UP WI' SOME CURLS.
OPEN
WEEL, MONSIEUR BROON. WE DON'T 'AVE MUCH TO WORK WITH 'ERE TO MAKE YOU ZE SUAVE MAN ABOOT TOON.
MICHTY. YE DINNAE MEAN A WIG?
MAIS, NAW. WE CALL IT FOLLICULAR REINFORCEMENT- YOU CAN HAE ANY ONE OF THESE LOOKS.
WEEL, THEY LOOK LIKE WIGS TAE ME BUT I'LL GIE ANE A GO.
AT HAME –
IT'S ME, A'BODY. NOW SHUT YOUR EEN FOR A BIG SURPRISE.
WHIT IS IT, PAW? WE'RE WATCHIN' "EXTREME CELEBRITY MAKEOVER IN THE JUNGLE."
THERE'S A DEID CAT ON PAW'S HEID. GET IT AFF HIM!
PAW? IS THAT FANCY DRESS?
NAE NEED TAE HAVE A HAIRY FIT, LAD. MAW, WHIT DO YOU THINK?
PAW, YE WEE DARLIN'. IT'S JIST WONDERFUL.
SEE? MAW LIKES IT.
YE CANNAE BE SERIOUS.
IT'S THE VERY THING. GIE IT HERE.
PERFECT! I WAS JIST THINKIN' I NEEDED A NEW MOP, TAE.
JINGS! IT'S LESS BOTHER BEIN' BALD!

It jist isnae fair –

Daph's no' lighter than air.

GIE'S A BUNCH O' YER HELIUM-FILLED BALLOONS, MISTER.
HAVIN' A PARTY, ARE YE?
HELIUM BALLOONS
NAE PARTY. IT'S JUST THAT THE BAIRN'S AWFY BORED THE DAY.
WHIT ARE YE DAEIN', HORACE? ME'S RICHT INTERESTED.
WAIT A MINUTE, BAIRN!
HERE'S GRANPAW. IT'S EVEN FU' O' HOT AIR.
THAT'S GREAT.
I'LL DRAW SOME MAIR. HERE'S PAW AN' HEN –
A SUDDEN DRAUGHT –
TYPICAL O' HEN – HEID IN THE CLOUDS!
HERE, BAIRN. CAN I BORROW THAE BALLOONS?
WELL, JUST FOR A WEE WHILEY!
WHAUR'S DAPHNE GOIN' WI' THAE BALLOONS?
ME DINNA KEN. LET'S FOLLOW HER.
MAIR'S THE PEETY!
THE BALLOONS ARE LICHTER THAN AIR, BUT THEY'LL NO MAK' YOU ONY LICHTER, DAPHNE.
SHE'S WEIGHIN' HERSEL'!

Granpaw's no' jestin' –

when he goes protestin'.

AH'M GRUMPY, AH'M AULD AND AH'M FED UP! NAEBODY LISTENS AN' NAEBODY EMPTIES MA WHEELIE BIN! ACH! LET GO! YOU POLIS NEVER COME OOT WHEN YE'RE WANTED.
EMPTY OOR BINS
A'BODY GETS THEIR BIN EMPTIED. NOW JIST CALM DOON, BROON! OOYAH!
LEAVE MA GRANPAW ALANE!
MR BROWN, I AM SERVING YOU WITH AN ANTI-SOCIAL BEHAVIOUR ORDER, AND YOU WILL BE FITTED WITH A TAGGING DEVICE, SO WE KNOW WHERE YOU ARE.
WHIT'S THAT, MA LORD? A TANKARD OF ICE? WHIT GUID'LL THAT DAE? AN' WHAT ABOOT MY BIN?
THERE YOU GO, YE AULD GOWK. SOON AS YOU STRAY OOT O' YER HOOSE, WE'LL KEN A' ABOOT IT.
ACH, RUBBISH! MY BREEKS'LL COVER THAT LEG BAND NICELY.
OH, THE SHAME O' IT. AN ASBO IN THE FAMILY!
AYE! AN AULD-HAS-BEEN-O!
HE WIS JIST WANTIN' HIS RIGHTS! THOSE BINS ARE A DISGRACE.
AND ...
SORRY, GRANPAW, I CAN'T GET IT AFF. IT BROADCASTS YOUR POSITION OVER THE RADIO.
JIST AS WELL. YE'LL BE BREAKIN' THE LAW IF YOU BREAK THAT.
ACH, I'VE GOT A PLAN, ONYWAY. AH'LL SORT THAE BINMEN.
LATER ...
LET'S SEE IF THE POLIS ARE KEEPIN' TABS ON ME ...
AND ...
QUICK! IT'S THAT AULD ROGUE, BROON! HE'S BROKEN OOT O' HIS HOOSE.
SILLY ARTICLE!
LET'S GET HIM! WE'LL NO' NEED RIOT GEAR FOR THIS JOB.
JINGS! WHIT A REEK! THAT BIN'S NO' BEEN EMPTIED FOR WEEKS.
YON MESS IS JIST CRIMINAL. THE ONLY ASBO HERE IS AN AWFY-SMELLY-BINS-OUTRAGE!
THAT'S WHIT I'VE BEEN TRYING TO TELL YE. MAYBE NOW I'LL GET SOMETHING DONE. AN' YE CAN GET THIS DOG COLLAR AFF MY ANKLE NOW.

Jist smell the sweet exhaust –

when Joe tries cuttin' cost.

CRIVVENS! THAT'S DEAR. IF THEY SAID HOW MUCH IT WAS IN GALLONS, I'D KNOW WHAT IT WAS IN REAL MONEY.
PETROL
2·50
LITRE
DIESEL

A CHIP SHOP TEA AGAIN? THAT'S THE THIRD NIGHT IN A ROW. WHAT ABOOT OOR CHOLESTOROL LEVELS?
DINNAE WORRY, PAW. IT'S LOW FAT. I WRUNG OOT YER SMOKED SAUSAGE INTAE A BUCKET.
SUPPERS IS SUPER!

SEE YOU LATER. HORACE AN' ME HAVE . . . ER . . . OTHER FISH TAE FRY.
SOMETHIN' FISHY'S GOIN' ON WI' THAT FRY . . . I MEAN FLY PAIR!

NOO TAE SEE WHIT'S GOING ON.
THAT'S GOOD, HORACE. IT'S AMAZIN' HOW MUCH OIL WE'VE SAVED.
AYE. WE'LL SOON BE LIVIN' OFF THE FAT OF THE LAND.

WHIT ARE YOU TWO DAEIN'? YE CANNAE RUN A CAR ON CHIP FAT.
IT'S NAE PROBLEM FOR A DIESEL, PAW. MR FRY AT THE CHIPPER GIVES US HIS WASTE OIL TOO. AN' WE CLEAN A' THE BITS OOT O' IT.

AND WHIT A LOVELY REEK. JIST SMELL THAT SWEET EXHAUST!
AH LOVE THE SMELL O' FREE FUEL IN THE MORNINGS!
TAXI
IT SMELLS LIKE AULD FISH TAE ME. THE EXCISE MEN'LL BATTER YE.

AYE, THE SMELL'S THE GIVEAWAY. HAVE YOU PAID FUEL DUTY ON WHIT YOU'RE RUNNING YOUR CAR ON? IT'S THE LAW.
WHIT? FOR CHIP FAT? FAT CHANCE!
TAXI

THAT'S MY BIODIESEL BUSINESS SCUPPERED.
STILL, IT'LL BE NICE NO' TAE HAE FISH SUPPERS EVERY NIGHT!
AYE. SERVES YE RIGHT. YE'VE HAD YER CHIPS, AND YER CHIP FAT!

A sportin' trial ends –
wi' buryin' auld friends.

I FANCY TAKING UP THE GOWF AGAIN – I'VE GOT MY AULD CLUBS OOT THE ATTIC!
AULD'S THE WORD! ARE YE SURE GOWF WAS INVENTED WHEN THESE WERE MADE?

ENOUGH O' YOUR CHEEK! LET'S GO OOT INTAE THE GARDEN.
I'M ALWAYS IN FULL SWING WI' THE CHEEK!

NOO, WHIT WAS THE AULD PRO'S ADVICE?
'GIE UP – YE'RE USELESS'?

LEFT ARM OOT, LEFT KNEE IN!
YE DAE THE HOKEY COKEY AND YE TURN AROOND . . .

AND . . .
ACH! YE'VE THROWN MY SWING AFF!
HAW-HAW!

MICHTY! THAT'S SOME SIZE O' A DIVOT YE'VE TAKEN!
WHIT A DISASTER!

NE'ER MIND, THOUGH – THIS GIANT DIVOT'S GIVEN ME AN IDEA.

SO . . .
THAT'S GIVEN THESE A DECENT BURIAL – I DINNAE KEN WHY I EVER PLAYED THE STUPID GAME IN THE FIRST PLACE!
WISE WORDS, GRANPAW – LET'S GO DOON THE BOOLIN' CLUB!

There's loads tae sell –

and buy, as well.

SO, THIS IS YON EBAY, HORACE. MY, YOU CAN BUY AND SELL ANY AULD RUBBISH HERE ON THE INTERWEB. I QUITE FANCY HAVIN' A GO!

SOME OF THIS JUNK MUST BE SIXTY YEARS AULD.
ANTIQUES IS WHIT THEY ARE!

WHIT ARE YOU TWA UP TAE?
WE'RE INTERNET TRADERS. READY TAE MAK' A FORTUNE SELLIN' AULD RUBBISH FOR CASH.

GO ON THEN, HORACE. SHOW US HOW THIS EBAY THING WORKS . . .

LATER –
WE'D NAE BOTHER SELLIN' THAT STUFF ON THE WEBNET. JUST GET IT SENT AFF AN' I'LL BE ABLE TAE SPEND THE MONEY AT THE BOOLIN' CLUB.
ME'S NO' SURE ABOUT THIS.

A WEEK LATER –
I CANNAE BELIEVE IT. FOWK ACTUALLY PAID GUID MONEY FOR A' THAT AULD JUNK.
WE'VE GOT TAE GET SOME O' THIS ACTION. SHOW US, HORACE.

AND, SURE ENOUGH –
WHIT DID I TELL YE, LADS? MONEY FOR AULD ROPE!
AYE, AND THE WIMMEN WILL STOP NIPPIN' OOR EARS ABOOT THE CLUTTER IN THE HOOSE.

BUT –
MICHTY, WHIT WERE WE SAYIN' ABOOT CLUTTER?
ME WAS RIGHT. THAT INTERWEB'S FU' O' RUBBISH!
OCH, WE JUST SAW SOME BARGAINS ON THAT EBAY. USEFUL STUFF!
YE'RE SPOT ON, PAW! IT'S A BRILLIANT WAY TAE SNAP UP ANTIQUES.

The auld lad gets collared – for leapin' a bollard.

I SEE THEY'VE PUT UP NEW RED BOLLARDS TAE STOP EEJITS TEARIN' UP MUIR STREET.
AN SPEAKIN' O' EEJITS. . .
BANG GOES MA SHORTCUT HAME. BEST DAE A THREE-POINT TURN. . .

. . . ER. . . MEBBE BETTER MAK' IT A THIRTY-THREE POINT TURN.
NAEBODY ELSE ABOOT? GOOD. . .
CRUNCH!
CRANK!

I CANNAE RESIST THIS! WAHEY! TAK'S ME BACK TAE MA YOUTH!
HIS YOUTH! YE MEAN THEY HAD BOLLARDS TAE STOP SPEEDIN' HORSE-DRAWN CARTS?

I WISH YE WOULD ACT YER AGE. . .
SEEIN' AS HOW I HAE TAE ACT MINE, EVEN THOUGH THAT LOOKS A LAUGH!
THERE! CLEARED EVERY ANE!

THEN -
HEY! WHIT DAE YE THINK YE'RE PLAYIN' AT?
LEAPFROG. WHY? WHIT DID IT LOOK LIKE I WIS PLAYIN'?

ACH, WHIT'S THE HARM IN IT? AN' I BET YE'LL NO' BE THIS FIT AT MY AGE.
MEBBE NO' . . . BUT I'LL NO' BE STUPIT EITHER.

COULD YE NO' SEE THAT WE'D JIST FINISHED PAINTIN' THEM BOLLARDS, YE DAFT GOWK?
YE WHIT?

HAW-HAW! CAUGHT RED-HANDED!
AYE! AN' BLACK AFFRONTED!
THERE'S A LESSON THERE. . . LOOK AFORE YE LEAPFROG!

Hen isnae likin' –

a wee bit o' hikin'.

ACH, COME ON, HEN. THERE'S PLENTY O' ROOM FOR YE.
I'M OWER BIG TAE SQUEEZE IN THERE ONYWAY, I WANT SOME FRESH AIR. I'LL SEE YE AT THE BUT 'N' BEN.

BUT . . .
MICHTY! AH'VE GOT BLISTERS LIKE WATERBEDS ON MA FEET AN' MILES TAE GO YET.
NAE ROOM FOR YE NOW, HEN. WE'VE BEEN TAE THE SUPERMARKET, HAD A BIT TAE EAT, THE LASSIES HAVE HAD THEIR HAIR DONE AND YE'RE HARDLY OOT O' THE TOON.

JINGS! IS THAT YOU, HEN BROON? FANCY A WEE LIFT? IF I MOVE ROVER IN BESIDE PERKY, YE'LL GET A SEAT.
GREAT! I'LL NO' SAY NO.

IN YE COME, ROVER! GUID LAD.
ROVER'S THE PIG? I CAN GUESS WHAUR I'M SITTING!

IT'S OVERLOADED! YE SHOULDNAE HAE BROUGHT A' THAE TINS O' MINCE.
AH THOUGHT I WOULD GIE MAW A WEE HOLIDAY FAE COOKIN'. NOW IT'S THE CAR THAT'S COOKIN'!
SO MUCH FOR FRESH AIR.

CRIVVENS! HOW DID YE BEAT US HERE? YE WERE LOOKIN' FELL WABBIT BACK ON THE ROAD.
ACH, I JIST HAD A WEE PIG-UP . . . AH MEAN A PICK-ME-UP.
WE CAN PIG OUT. THERE'S MAIR MINCE IN HERE THAN IN A SCOTTISH EXECUTIVE CONSULTANT'S REPORT.

THAT MINCE IS NO' AS GOOD AS YOURS, MAW.
IS IT MEANT TAE BE THAT SPICY?
AYE. IT'S PEPPER MINCE.
HOTTER THAN A VINDALOO IN A SAUNA!

AND, HAME TIME . . .
GOOD JOB THIS THING'S GOT A SUN ROOF. COOLS THE MINCE BREATH AN' GIES ME A' THE FRESH AIR I NEED!

Look who's nicked the scarecrow's coat –

it's Granpaw Broon, the daft auld goat.

JINGS! THAT LOOKS LIKE GRANPAW HAEIN' A WRESTLIN' MATCH WI' THAT SCARECROW.

COME BACK WI' THAT COAT, YE AULD SCOUNDREL.

I'VE JIST SEEN GRANPAW STEALIN' THE COAT AFF A SCARECROW!
WHIT? THIS IS TERRIBLE.

RICHT! WE'LL TAK' HIM SOME GUID CLAITHES.
MY YACHTIN' JAICKET!
WHICH YE NEVER WEAR.

A'BODY'S GOT CLAITHES FOR GRANPAW TAE WEAR.
HE'LL BE THE BEST DRESSED PENSIONER WHEN WE'RE FINISHED.

LOOK AT THE STATE O' YE. WHY DID YE NO' TELL US, YE HAD NUTHIN' TAE WEAR?
BRINGIN' SHAME ON THE FEMILY!

JINGS! HERE'S ANOTHER AULD RAGGED MAN COMIN'!
WHA IS IT?

JINGS! DINNAE TELL ME – IT'S THE MEENISTER! THINGS ARE GOIN' FAE BAD TAE WORSE.
HELLO, MR BROON.

DINNAE BE DAFT – WE'RE GOIN' TAE THE TRAMPS' BALL AT THE SOCIAL CLUB.
AYE – AN' I WIS GONNAE WEAR THAT COAT, BROON!
IT'S THE FERMER!

Ye can see familiar faces –

in the most unlikely places.

WHAT D'YE THINK O' MY MPV? FANCY A BIRL?
DO YE NO' MEAN A MBV? MULTI-BROONS VEHICLE!
LET'S GET THE FAMILY.

SO –
BRAW! THERE'S NUTHIN' LIKE THIS IN GLEBE STREET. LET'S HAE A LOOK AT SOME WILD AN' DANGEROUS ANIMALS.
SAFARI PARK
AS LONG AS THEY DINNAE HURT MA NEW MPV!
THAT'LL BE YER MASSIVELY PACKED VAN.

JINGS! LOOK AT THAE TWA AULD CODGERS WI' NAE TEETH! COULDNAE TAK' A BITE OOT O' A JAMMY DODGER SOAKED IN TEA.
WHIT UGLY BRUTES!

THEN –
THAT PACHYDERM LOOKS A BIT FAMILIAR.
IF PACHYDERM MEANS ELEPHANT – I KEN WHAT YOU MEAN.
CHEEK.

NEXT –
AWW! THEY LOOK AWFY CUDDLY.
JUST LIKE US. THEY ARE BROON BEARS, EFTER A'!

THEN –
AH REMEMBER WHEN YER MAW HAD A HAT JUST LIKE THAT!
AYE, AN' GRANPAW TRIED TAE MAK' SOUP OOT O' IT!

NOW NAE MONKEY BUSINESS, YOU TWA. BEHAVE LIKE HUMAN BEINGS.
MONKEY HOUSE

ANITHER BUNCH O' UGLY GAWPERS! IT'S AMAZIN' – SOME O' THEM LOOK A BIT LIKE US.
NAW! THEY'VE GOT MILLIONS O' YEARS O' EVOLUTION TAE CATCH UP WI' US!

A sheepdog's just great – when the menfolk are late.

AT THE BUT 'N' BEN . . .
WHIT A GLORIOUS DAY! LET'S PREPARE A PICNIC LUNCH.
GREAT IDEA!
ME'LL HELP TOO!

WE'RE AWA' CYCLIN' – WE'LL SEE YE LATER!

AN' WE'RE AWA' FISHIN' – THERE'S A TROUT DOON AT THE LOCH WI' MY NAME ON IT!
THAT'LL BE A RARE BEAST!
I'VE GOT A BUNNET WI' MY NAME ON IT!

MIND THE PICNIC LUNCH! MIDDAY AT THE HIGH MEADOW.

AT MIDDAY . . .
I MICHT HAVE KENT! THEY'RE NO' HERE ON TIME!

WE'RE SUPPOSED TAE BE MEETIN' OOR MENFOLK BUT THEY'RE CAST TAE THE FOWER WINDS!
MEBBE I CAN HELP?

AND . . .
PHEEP! AWAY YE GO!

VERY SOON . . .
WOOF!
THERE YE GO! MY DUG'S ROONDED UP YER LOST SHEEP!
HAW! HAW! THAT WAS WEEL DONE! COME AND JOIN US FOR A JEELY PIECE OR TWA!

Paw's swimsuit style –

hasnae changed in a while.

PAW'S TAKIN' US TAE THE LEISURE CENTRE.
JOE USUALLY DOES IT – I'VE NO' BEEN TAE THE BATHS IN AGES!

SOMETHIN' THIS CLASSY NEVER GOES OOT O' FASHION!
MICHTY! THAT'S OBVIOUS, PAW!

AND . . .
THIS ISNAE HOW I REMEMBER THE SWIMMIN' BATHS!

MICHTY ME! WHIT ON EARTH'S THIS?
THAT'S THE WAVE MACHINE.

JINGS! I THOCHT OOR DAPHNE HAD JIST DIVED IN!

I DINNAE HOLD WI' THIS MODERN NONSENSE. IN MY DAY WE HAD TAE SWIM HUNNERS O' LENGTHS AND RESCUE RUBBER BRICKS FRAE THE DEEP END!
FLUME

MUCH LATER . . .
I'M READY TAE GO HAME!
ME AN' A'!

BUT HOW WILL WE GET PAW AFF THE FLUMES?
WHEE! THIS IS BRAW! I'LL BE COMIN' BACK HERE EVERY WEEK!

A spaced-oot suit –

just isnae cute.

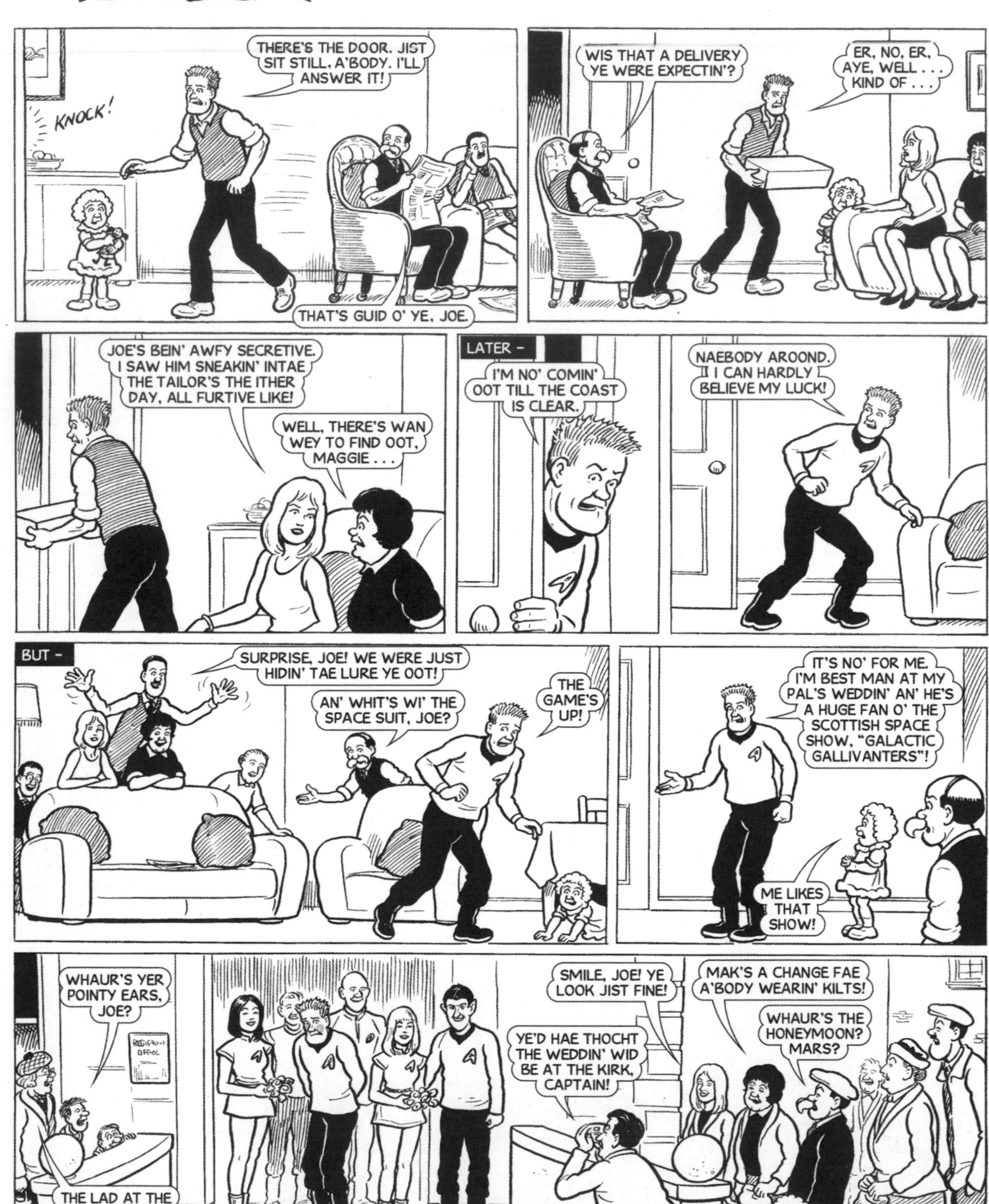
KNOCK!
THERE'S THE DOOR. JIST SIT STILL, A'BODY. I'LL ANSWER IT!
THAT'S GUID O' YE, JOE.
WIS THAT A DELIVERY YE WERE EXPECTIN'?
ER, NO, ER, AYE, WELL . . . KIND OF . . .
JOE'S BEIN' AWFY SECRETIVE. I SAW HIM SNEAKIN' INTAE THE TAILOR'S THE ITHER DAY, ALL FURTIVE LIKE!
WELL, THERE'S WAN WEY TO FIND OOT, MAGGIE . . .
LATER –
I'M NO' COMIN' OOT TILL THE COAST IS CLEAR.
NAEBODY AROOND. I CAN HARDLY BELIEVE MY LUCK!
BUT –
SURPRISE, JOE! WE WERE JUST HIDIN' TAE LURE YE OOT!
AN' WHIT'S WI' THE SPACE SUIT, JOE?
THE GAME'S UP!
IT'S NO' FOR ME. I'M BEST MAN AT MY PAL'S WEDDIN' AN' HE'S A HUGE FAN O' THE SCOTTISH SPACE SHOW, "GALACTIC GALLIVANTERS"!
ME LIKES THAT SHOW!
WHAUR'S YER POINTY EARS, JOE?
THE LAD AT THE BACK'S GOT A POINTY HEID!
SMILE, JOE! YE LOOK JIST FINE!
YE'D HAE THOCHT THE WEDDIN' WID BE AT THE KIRK, CAPTAIN!
MAK'S A CHANGE FAE A'BODY WEARIN' KILTS!
WHAUR'S THE HONEYMOON? MARS?

The Broons are afloat –

on a braw canal boat.

WELL, HERE WE ARE AT THE CALEDONIAN CANAL BARGE. A HALE WEEK TAE LEAVE OOR CARES BEHIND.
WE LEFT GRANPAW AHENT. WHY DID HE NO' COME?
HE'S MADE ITHER ARRANGEMENTS, HE SAID.
SO –
GIE'S A SHOT, PAW. ONYBOY CAN STEER THESE.
NAW, YE'LL BE NEEDED TAE HELP AT THE LOCKS.
YOU CANNAE SEE THE DOOR LET ALANE THE LOCKS.
LOOK, WHA'S THE CAPTAIN O' THIS SHIP? THIS COULD BE SEEN AS MUTINY, YE KEN. WHEN I WIS IN THE NAVY . . .
NAVY? NAVY SUIT MAYBE.
OR NAVY RUM.
YON TIME AT THE PONDS.
WHEN THE CAPTAIN WOULDNAE DESERT HIS SINKIN' SHIP.
AH DIDNAE WANT TAE GET MY NAVY SUIT WET.
IS THIS NO' BRAW? BONNIE LOCH NESS, FORT AUGUSTUS TAE COME, NEPTUNE'S STAIRCASE AN' BEN NEVIS LATER.
DINNAE LOOK NOW, BUT IS THAT NO' THE MONSTER OWER THERE?
DINNAE PANIC. I CAN HANDLE THIS. BAIRNS AN' AULD MEN TAE THE LIFEBOATS FIRST.
IT IS THE AULD MONSTER RICHT ENOUGH. GRANPAW! OTHER ARRANGEMENTS HE SAID, THE FLY AULD DEVIL!
ONYBODY FOR A G AN' T?
ACH! WE DIDNAE THINK YE'D WANT TWA AULD PENSIONERS ON YER TRIP. SEE YE IN GLEBE STREET, SHIPMATES.
GRANPAW LOOKS LIKE A SAILOR WI' HIS WHISKERS!

A chap is wandering on the braes –
an' naebody kens what he says.

IT'S DAYBREAK AT THE BUT 'N' BEN, AND PAW'S PUTTIN' THE KETTLE ON –
COCK-A-DOODLE DOO!

JINGS! IT'S A BIT EARLY FOR THERE TAE BE A CHAP AT THE DOOR.
HOW DAE YE KEN IT'S A CHAP?
KNOCK! KNOCK!

WHA'S AT THE DOOR AT SEVEN IN THE MORNIN'?
SHISH A SLOSH SLISHIN' SLOSH!

WHIT LANGUAGE IS THIS MANNIE SPEAKIN'?
HERE, PAW – HE'S MAYBE FRAE WAN O' THAE NEW-FANGLED COUNTRIES – RUSSYLVANIA, OR SOMETHING!

ARE YE HUNGRY, MANNIE? HAVE YE HAD YER BREAKFAST?
THAT'S THE SAME IN ONY TONGUE!
HAE SOME BACON AN' EGGS!

SHOSH! O' SHISHIN' SHOSH!
I'VE INSULTED HIM. MAYBE THEY DINNAE EAT BACON AN' EGGS IN HIS COUNTRY!

SHISH!
I'M STARTIN' TAE PICK THIS LANGUAGE UP. HE'S WANTIN' FISH FOR HIS BREAKFAST. HE MUST COME FAE SOME REMOTE ISLAND WHAUR A' THEY EAT IS FISH!

YE'LL NO CATCH MONY FISH DOON THE WELL, MISTER, OR SENOR, OR MEIN HERR.
SHOOSH!

JINGS! HE'S FISHED OOT A PAIR O' FALSE TEETH!
HE MUST HAE LOST THEM WHEN HE TRIED TAE HAE A DRINK!

I WIS ONLY TRYIN' TAE ASK FOR A SHOT O' YER FISHIN' ROD.
HE'S NO' FRAE SOMEPLACE REMOTE AT A'. HE'S FRAE DUMFRIES.
HE'S GOT HIS TEETH IN, NOO.

If ye want tae keep yer cool –

get yersel' a swimmin' pool.

AT THE BUT 'N' BEN–
JINGS, IT'S OWER HOT. MUST BE THAT GLOBAL WARMIN'. WISH WE HAD A POOL.
COME ON, THEN. I'LL BELT THIS INTAE NEXT WEEK!
IT'LL TAK' YE TILL NEXT WEEK TAE HIT IT IF YE DINNAE GET A MOVE ON . . .

A STOATER! RICHT INTAE OOTER SPACE. I'LL GET RICHT ROOND TWICE.
ME SEES HEN ABOOT TAE PIT A FIT WRANG!

HELP MA BOAB. HE'S TA'EN A RICHT FLYER.
I'VE FA'EN A' MY LENGTH, AN' THAT'S A LANG WAY TAE FA'.

THAT BUMP IN THE GRASS FLATTENED ME. WELL, NOW IT'S MY TURN TAE FLATTEN IT.
WAIT A MINUTE, HEN. THERE'S SOMETHING ABOOT THAT BUMP.

HELP! I'M GOIN' WI' THE FLOW.
JINGS, IT'S THE WATER MAIN!
HE'S FAIR HAEIN' HIS UPS AN' DOONS THE DAY.

SO–
AH'VE FIXED THE MAIN, BUT THERE'S AN AWFY BIG PUDDLE IN THE GARDEN.
NEVER MIND, I WIS GETTIN' TIRED O' PLAYIN' ROONDERS ONY HOW.
WATER

GUID IDEA, HEN. THIS IS A MUCH COOLER GAME IN THIS WEATHER.
AYE, WATER POLO – IT'S THE MAIN EVENT, YE KEN.

BUT–
HELP! IT MUST BE A POLO PONY!
GIE IT A MINT, THEN.
I THOCHT IT WAS ONLY WHITE HORSES YE SAW ON TOP O' WAVES!

Twa Broons get a fright – when they're lost in the night.

ME AN' GRANPAW ARE JUST HEADIN' INTAE THE VILLAGE TAE . . . ER . . . PASS ON A WEE MESSAGE, MAW.
BOTH O' YE FOR ANE MESSAGE? THAT WIDNAE BE "TWA PINTS AN' A COUPLE O' NIPS" WOULD IT? EFTER YOU PROMISIN' TAE GET THAT JOB DONE TODAY?
WEEL, WE MIGHT BE A WEE BIT THIRSTY EFTER WALKIN' BUT WE'LL BE BACK IN GUID TIME TAE HELP OOT.
AND . . .
BRAW! A BLETHER, A PIE AN' CHIPS AN' A FEW DRINKS. THAT'LL SET US UP FOR WHITEVER THAT JOB IS MAW WANTS US FOR.
AYE, BUT WE'D BEST NO' KEEP HER WAITIN' AN . . . HERE? WHIT'S HAPPENED TAE THE SUN?
WOULD YE LOOK AT THE TIME? NEARLY ELEVEN! YOU AN' YER BLETHERIN'. WE'VE BEEN OOT A' DAY AN' HALF THE NICHT! MAW'LL GO SPARE!
SAVE YER BREATH FOR WALKIN'. I KEN A SHORTCUT BACK TAE THE BUT 'N' BEN.
AN HOUR OR MAIR LATER . . .
NAE LICHTS ON. THEY MUST A' BE IN BED. SSSHH . . . DINNAE WAKE THEM! YOU AN' YER SHORTCUTS! IT'S TA'EN AGES!
IT TOOK AGES SINCE YOU KEPT WEAVIN' ABOOT AN' GOIN' IN CIRCLES. NOW, SHUSH! MAW'S LEFT IT UNLOCKED SO WE'LL NO' WAKE THEM.
QUIET, NOO-OOH! WHIT A DAFT PLACE TAE LEAVE A CHAIR! IT WISNAE HERE AFORE.
"QUIET", HE SAYS. LET'S HAE A LOOK. I'LL NO' SWITCH THE BIG LICHT ON, THOUGH. IT MIGHT WAKEN ONYBODY YOU HAVENAE A'READY WOKEN!
NANE O' THIS FURNITURE WIS HERE AFORE! YE DAFT GOWK WI' YER SHORTCUT! YE'VE LED US BACK TAE THE WRANG HOOSE!
HELP! WE'D BEST GET OOT SHARPISH, AFORE WE END UP IN THE DOCK AS BURGLARS!
I CANNAE FACE ANITHER COUPLE O' HOURS O' TRYIN' TAE FIND OOR AIN PLACE IN THE DARK!
GUID JOB THIS AULD COWSHED'S HERE. WE'LL JIST HAE TAE ROUGH IT FOR THE NICHT AN' SET OOT AGAIN AT DAWN.
DAWN COMES AND GOES AND . . .
RISE AN' SHINE, HAPPY WANDERERS. EFTER YOUR ROUGH NIGHT, YE'LL BE NEEDIN' A CUP O' TEA OR TWA.
AN' TOAST AN' MARMYLADE.
MAW? YE FOUND US! IT WIS HORRIBLE! WE GOT LOST AN' WENT BACK TAE THE WRANG PLACE. BUT HOW DID YE FIND US?
WEEL, EFTER YE CAME CRASHIN' IN EFTER MIDNIGHT, WE A' HEARD YE AS YE MADE YER EXIT. WRANG HOOSE, YE FOOLS? YE'LL HAE FORGOT ABOOT THE NEW FURNITURE WE WERE GETTIN' DELIVERED?
HEN AN' JOE HAD TAE HELP PIT IT A' IN WHEN YOU TWA DIDNAE COME BACK! SHAME ON YE!
MICHTY! A BRAW, BIG, NEW SOFA TAE SLEEP ON AN' WE END UP IN OOR AIN SHED!

Granpaw's heart is thumpin' –
cos he's goin' bungee jumpin'.

HEY! HERE'S YOUR BOYFRIEND COME TAE CHUCK YOU, DAPH.
WATCH IT, LANKY! IT'S MAYBE YON REDUNDANCY ROADSHOW FOR THE OWER TALL . . . OR OWER CHEEKY.
BIG BOUNCE
THEY MIGHT BE PUTTIN' A NEW MOBILE PHONE MAST UP, DAPH. YOU MUST HAE MELTED THE LAST ANE WI' YER GABBIN' AN' TEXTIN'.
JINGS! AH FANCY A SHOT O' THAT.
AYE, WI' YOUR HEID, IF YOU HIT THE GROUND, YE'LL GO STRAIGHT THROUGH TO AUSTRALIA.
BIG BOUNCE
ACH, THEY'D NEED TWA TAE TAKE MA WEIGHT.
GRANPAW! WHIT ARE YE PLAYIN' AT, YE AULD GALOOT?
AULD WHIT? AH'M ALL SET FOR THE JUMP!
YE'LL BE FOR THE HIGH JUMP IF MAW EVER FINDS OOT.
HOW WAS IT? DID THE ELASTIC HOLD OKAY?
NAW, IT BROKE AN' I PLUNGED TAE MA DOOM, YE EEJIT! OF COURSE IT HELD. THE ONLY THING IS AH'M SIX INCHES TALLER THAN WHEN I STARTED!
DINNAE DAE IT, GRANPAW! YE'RE BOUND TAE LOSE YER CAP AN' YER FALSERS.
NAW, NAW! THEY'RE BOTH SNUG FITS. THE ONLY THING IS, AH'VE GOT TAE SEE MA DOCTOR FIRST.
AH KENT IT! HE'S GOT SOME TERRIBLE ILLNESS AND THIS IS HIS LAST GOODBYE!
GO AND STOP HIM, HEN. YOU CANNAE BE SCARED O' HEIGHTS.
WAIT A MINUTE! THAT'S NO' HIS NORMAL QUACK.
CRACK!
OCH, NO! HE'S SNAPPED HIS COCCYX!
AH THINK HE'S JUST SNAPPED HIS GALLUSES!
AH, THAT'S BETTER. AH PUT MA BACK OOT, AND DR. SACRO ILIAC, MY CHIROPRACTOR, ORDERED SOME STRETCHIN' EXERCISES!
IT WORKED A TREAT. AND IT'S FREE ON THE NHS FOR PENSIONERS, SO HE DIDN'T EVEN HAVE TO STRETCH TO THE TICKET PRICE.
BUN
HELP MA BOAB! AND I BET THERE'S NO' MUCH O' A WAITIN' LIST EITHER!

The Bairn wants a horse – so she'll get one, of course.

ON A DAYTRIP TAE THE COUNTRY . . .
WHIT BONNIE! ME WANTS A HORSE!
YE CANNAE HAE YIN, PET – WE'VE NAEWHERE TAE KEEP IT.

AYE, WE COULDNAE GET IT UP THE CLOSE AND THEY COST A FORTUNE TAE LOOK EFTER.
IT'S "NEIGH" MUCH TAE ASK – A HORSE O' MY AIN!

IF MY WEE LAMB WANTS A CUDDY, A CUDDY SHE SHALL HAE! COME ROOND TAE MY HOOSE THIS AFTERNOON.
WOW!

SO, THAT AFTERNOON . . .
WHAUR'S MY HORSE?

HERE HE IS!
MAGIC! HE'S PERFECT!

AND . . .
I'M SO HAPPY! YE'RE THE BEST GRANPAW EVER!

COME BACK AND VISIT HIM ANY TIME, PET!

SO . . .
THANKS FOR THAT, BOYS!
REMEMBER OOR DEAL, GRANPAW!

IN THE LOCAL TEAROOMS . . .
MICHTY! I'D HAE BEEN CHEAPER FEEDIN' A REAL HORSE!

Jings! Summer showers – hit indoor flowers.

AT THE PARK . . .
WE'RE AWA' TAE GET HIT BY A DOWNPOUR. LET'S DUCK INTAE THE BOTANIC GARDENS!

IT SAYS HERE THESE PLANTS HAVE BEEN AROUND SINCE THE TIME O' THE DINOSAURS!
YOU'LL KEN IF THAT'S TRUE, EH, GRANPAW?
CHEEKY YOUNG PUP!
CYCADS

WHIT ABOOT THESE AMAZONIAN WATER LILIES? IT SAYS THEY CAN SUPPORT THE WEIGHT O' A CHILD!

THEN . . .
CHUCKLE! THAT'S RICHT ENOUGH!

IT SAYS THIS IS A HERB, NO' A TREE!
THIS IS FASCINATIN' STUFF!

THE TWINS DISAGREE . . .
THIS IS BORIN' STUFF!

AND . . .
WONDER WHIT THIS DOES!
LET'S FIND OOT!

THE SPRINKLERS START!
NOT A WORD!
NAE FEAR!
MICHTY! AND TAE THINK WE CAME IN HERE TAE AVOID A DRENCHIN'!

Daph finds it tough tae keep –
her cool, when things go 'beep'.

THIS IS PROFESSOR BRAUN, FROM DOODLEBURG UNIVERSITY IN GERMANY. I'VE INVITED HIM HOME TO MEET THE FAMILY.
JINGS, GERMAN PROFESSORS ARE AWFY CLEVER, LIKE THON ALBERT EPSTEIN THAT INVENTED LIGHT!
NO – HE INVENTED THE BEATLES – ANYWAY, PLEASED TO MEET YOU, DAPHNE.
HOW DID YE KEN MA NAME?
BEEP!
AN' WHY DID YER WEE MACHINE GO 'BEEP'?
IT'S A SCOTTISH WORD DETECTOR.
MICHTY!
THE GLAUSOPHONE WILL BEEP EVERY TIME YOU SAY SOMETHING SCOTTISH!
BEEP!
JINGS! AH'M FAIR FEARED TAE SAY ONYTHING SCOTTISH, NOO!
WELL, YOU JUST DID!
BEEP! BEEP! BEEP! BEEP! BEEP!
OH, NO! HERE COMES THE MEENISTER, NEXT! WHAT IF HE SAYS SOMETHING AN' GETS BEEPED? I'LL NO' KEN WHAUR TAE LOOK!
BEEP!
MEENISTER! ONLY USE YER SUNDAY MORNIN' VOICE, HERE.
BIT EARLY FOR DAPHNE TO HAVE BEEN AT THE SHERRY!
SOME KIND OF WIND UP GOING ON HERE, IT SEEMS!
I'LL GIE YE PROFESSOR BRAUN, HORACE, YE WEE NYAFF!
BEEP!
CAREFU' – THE MACHINE MICHT BLAW A FUSE!
D.

It's no' hard tae see –

what this lad's job might be.

I MET A NEW LAD AT THE DANCIN'. HE'S A HANDSOME PROFESSIONAL WI' A GUID CAREER!
WHIT DOES HE DAE?

HE'S AN 'IMPROVED VISION TECHNICIAN'!
NO' YIN O' HER USUAL DEADBEATS THEN?

MAYBE HE CAN GET ME NEW READIN' GLASSES OAN THE CHEAP!
ACH, YE AULD SCUNNER! YE'RE AYE THINKIN' O' YERSEL'!

WEEL, WHY NOT? THESE YINS HAE SEEN BETTER DAYS – IF YE'LL PARDON THE PUN!

INVITE HIM ROON FOR TEA THE MORROW NICHT.
THANKS, PAW!

AND, THE NEXT NICHT . . .
THAT'S A' THE BEST CHINA LAID OOT!
THAT'LL BE HIM NOO – I HEARD THE DOORBELL RING.

SO . . .
YE MUST HAE DONE A LOT O' TRAININ' FOR YER CAREER?
NO' REALLY – ABOOT A WEEK!
YE MUST BE AWFY CLEVER!

AHEM! WHEN I SAID I WAS AN 'IMPROVED VISION TECHNICIAN' I REALLY MEANT I WAS A WINDAE CLEANER!
SPLUTTER!
WHIT?
HAW-HAW! THAT'S A GUID ANE!

For gettin' rid o' dust –

Paw's no' the man tae trust.

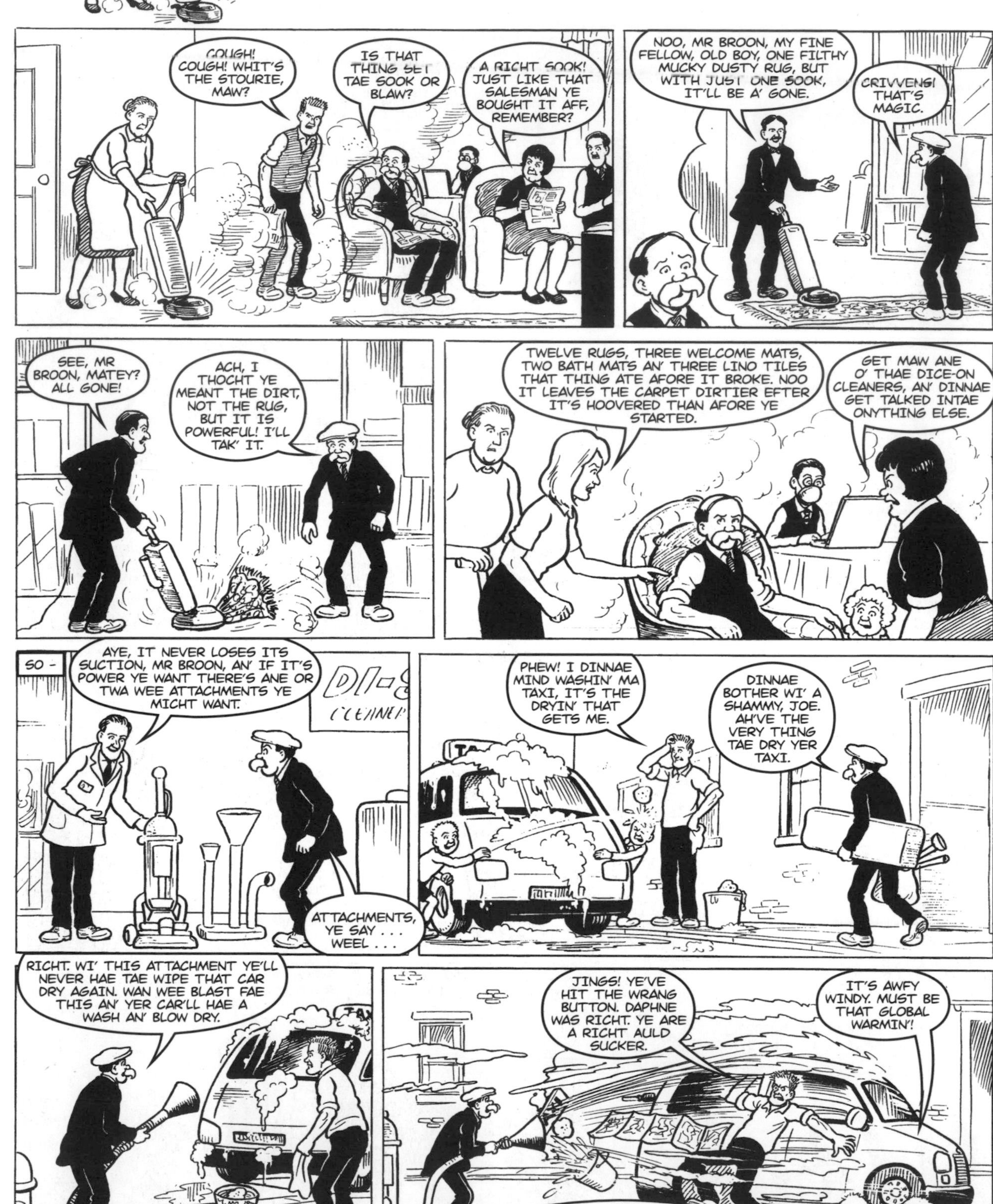

COUGH! COUGH! WHIT'S THE STOURIE, MAW?
IS THAT THING SET TAE SOOK OR BLAW?
A RICHT SOOK! JUST LIKE THAT SALESMAN YE BOUGHT IT AFF, REMEMBER?
NOO, MR BROON, MY FINE FELLOW, OLD BOY, ONE FILTHY MUCKY DUSTY RUG, BUT WITH JUST ONE SOOK, IT'LL BE A' GONE.
CRIVVENS! THAT'S MAGIC.
SEE, MR BROON, MATEY? ALL GONE!
ACH, I THOCHT YE MEANT THE DIRT, NOT THE RUG, BUT IT IS POWERFUL! I'LL TAK' IT.
TWELVE RUGS, THREE WELCOME MATS, TWO BATH MATS AN' THREE LINO TILES THAT THING ATE AFORE IT BROKE. NOO IT LEAVES THE CARPET DIRTIER EFTER IT'S HOOVERED THAN AFORE YE STARTED.
GET MAW ANE O' THAE DICE-ON CLEANERS, AN' DINNAE GET TALKED INTAE ONYTHING ELSE.
SO –
AYE, IT NEVER LOSES ITS SUCTION, MR BROON, AN' IF IT'S POWER YE WANT THERE'S ANE OR TWA WEE ATTACHMENTS YE MICHT WANT.
ATTACHMENTS, YE SAY . . . WEEL . . .
PHEW! I DINNAE MIND WASHIN' MA TAXI, IT'S THE DRYIN' THAT GETS ME.
DINNAE BOTHER WI' A SHAMMY, JOE. AH'VE THE VERY THING TAE DRY YER TAXI.
RICHT. WI' THIS ATTACHMENT YE'LL NEVER HAE TAE WIPE THAT CAR DRY AGAIN. WAN WEE BLAST FAE THIS AN' YER CAR'LL HAE A WASH AN' BLOW DRY.
JINGS! YE'VE HIT THE WRANG BUTTON. DAPHNE WAS RICHT. YE ARE A RICHT AULD SUCKER.
IT'S AWFY WINDY. MUST BE THAT GLOBAL WARMIN'!
NAH! IT'S A HOOVER, NO' A HEATER. MIND, AH'VE ALWAYS KIND O' FELT. . . DRAWN THIS WEY.

There isnae muckle charm –

wi' Granpaw's new alarm.

YOU'RE LATE THE DAY!
IT'S THAT ROTTEN ALARM CLOCK O' MINE – IT'S ON ITS LAST LEGS!

I HAVE TAE GET UP IN THE MIDDLE O' THE NIGHT TAE WIND IT UP!

THEN IT TICKS SO LOUD I HAVE TAE PUT MY HEID UNDER THE PILLOW TAE GET TAE SLEEP!
YE SHOULDNAE DAE THAT – THE TOOTH FAIRY MIGHT TAK' A' YER TEETH OOT!

OF COURSE, WI' MY HEID UNDER THE PILLOW, I CANNAE HEAR IT WHEN IT FINALLY GOES OFF!

YE'VE HAD THAT CLOCK SINCE THE YEAR DOT – I'LL GET YE A NEW ANE AFF THE INTERNET.

AND . . .
SORTED! A NEW ANE'LL BE DELIVERED THIS AFTERNOON. IT WAS ONLY A FIVER AN' IT NEEDS NAE BATTERIES AND NAE WINDING!
BRAW!

NEXT DAY . . .
I WONDER HOW GRANPAW GOT ON WI' HIS NEW ALARM CLOCK?

IT WOKE ME UP AT DAWN! THE DAFT LADDIE BOUGHT ME A COCKEREL!
WE'D BEST GET IT UP TAE THE BUT 'N' BEN AFORE THE NEEBORS GO DAFT!
THINK HE'LL LOSE THE RAG IF I CRACK A GAG ABOOT IT GOIN' CHEAP?

Maw's taken a likin' – tae goin' oot bikin'.

AT THE BUT 'N' BEN -
AYE, IT'S A RICHT INDIAN SUMMER, AN' THE NICHTS ARE FAIR DRAWIN' IN. WE'LL PAY FOR THIS GOOD WEATHER.
INDIAN SUMMER? MR KHAN DOESNAE DELIVER OOT HERE, AN' I FANCY A VINDALOO.
TOE-RAG MOTORBIKE HOOLIGANS. DISTURBIN' THE PEACE O' LAW ABIDIN' CITIZENS.
VROOOOM!
NOW, PAW - REMEMBER WHEN WE WERE YOUNG.
JINGS, AYE. HISTORY REPEATS ITSEL'.
IT WID BE FINE FOR ME AN' YOU TAE DAE SOME BORN-AGAIN BIKIN'. CAN I NO' RIDE PILLION WAN MAIR TIME?
ACH, MA BIKIN' DAYS ARE AHENT ME, MAW.
MAYBE YE'LL GET YER CHANCE, MAW. THAT WIS HEN ON THE MOBILE. HE'S COMIN' OOT TAE THE BUT 'N' BEN, AN' HE'S BRINGIN' HIS NEW MOTORBIKE.
AH THINK MY AULD LEATHERS ARE UP IN THE LOFT.
SOON -
HERE'S HEN - I THOCHT YE WERE BRINGIN' YER MOTORBIKE WI' YE?
AYE. I BROCHT IT WI' ME - JUST IN CASE . . .
THAT'S NO' A MOTORBIKE. IT'S A ROLLER SKATE WI' IDEAS ABOVE ITS STATION.
TON UP? OUNCE UP, MAIR LIKE!
I'VE GOT A CASE FOR MY MINIBIKE - AN' IT'S AN OPEN AN' SHUT CASE.
VROOOOM!

There's trouble afoot –

when sharin' things oot.

I'VE BROUGHT A BOX O' DOUGHNUTS HAME FRAE THE BAKERS.
I SHOULDNAE - BUT I WILL!
BRAW!
GOODY!

SO . . .
DELICIOUS!
HEY! THERE'S ANE LEFT IN THE BOX!

MAW SHOULD HAE IT, AS SHE WIS THE ONE WHA BOUGHT THEM.
THANKS, PET!
?

AS HEID O' THIS FAMILY I'LL HAE TAE PIT MY FOOT DOON AN' SAY THAT MAW GETTIN' IT WOULDNAE BE FAIR!

AND . . .
WE'LL A' DRAW LOTS FOR WHA GETS IT!
WHIT A ROTTEN AULD TWISTER!

BUT . . .
WHIT DAE YE KNOW? I'VE GOT THE LONGEST STRAW!
NO' WHIT I HAD IN MIND AT A'.

DINNAE WORRY, PAW – I'LL SHARE IT WITH YE!
WHIT A BRAW GESTURE – THAT'S THE LOVELY, GENEROUS LASS I MARRIED, RICHT ENOUGH!

AYE! YE CAN HAE THE HOLE IN THE MIDDLE!
HAW! HAW!
HERE, PAW – DID YE KEN THE WORD GULLIBLE HAD BEEN TAKEN OOT THE DICTIONARY?
SCUNNERS THE LOT O' YE!

Daphne's doin' fine –

runnin' on the line.

WHIT'S OOR DAPHNE DAEIN' GOIN' TAE THE JUNIORS' GAME?

I'VE GOT THE FLAG TODAY – HAVE YE NEVER HEARD O' WUMMEN LINESMEN?

THIS IS A GREAT WEY TAE MEET NEW LADS – THAT CENTRE HAUF IS A RICHT HUNK!

DAPHNE'S A BIT BIGGER THAN YER AVERAGE LINESMAN – WE'RE MISSIN' THE ACTION.
NO' HALF!

HMM. THESE CHAPS HAVE A BIT OF A PREDICAMENT, AND I HAVE THE ANSWER.

AT HALF TIME –
I OWN A LOCAL BUSINESS AND I'D LIKE TO ADVERTISE ON YOUR TRACKSUIT, MISS BROWN.
SPONSORSHIP! THAT'D BE GREAT!

SO –
I DINNAE THINK DAPH'S THAT CHUFFED WI' HER SPONSORSHIP DEAL . . .

. . . 'FOR HAPPY BELLIES, TUMS AND THIGHS - GET WIRED IN TAE DONALDSON'S PIES'. VERY DISCREET!
FOR HAPPY BELLIES TUMS AND THIGHS GET WIRED IN TAE DONALDSON'S PIES
THIS IS EMBARRASSING ENOUGH WITHOOT HAEIN' IT READ ALOUD!

Paw's in despair –

because nothin's no' there.

LOOKS LIKE THE AULD DOOR NUMBERS COULD DAE WI' REPLACING.

I LOVE THESE HARDWARE STORES – THEY'VE GOT BITS AN' BOBS FOR EVERY JOB. IDEAL IF YOU'VE GOT A SCREW LOOSE!

NUMBER TEN FOR MY DOOR, PLEASE.
CERTAINLY, SIR . . .

. . . THAT'S A ONE AND A ZERO, FIVE POUNDS EACH. IF YOU STAYED AT NUMBER NINE IT WOULD BE CHEAPER!
WELL – I'M NO' FLITTIN' TAE SAVE A FIVER!

THIS ONE'S ONLY A FIVER.
NAW! I WANT A ONE AND A NOTHIN'!
Ten

THIS IS THE ROMAN NUMERAL FOR TEN – VERY POSH!
A ONE AND A ZERO, I SAID!

ER . . . WE'RE FRESH OOT O' ZEROES.
THAT'S WHY YE WERE TRYIN' TAE FOB ME OFF!

SO, LATER . . .
PUTTIN' UP NEW NUMBERS, ARE WE?

WHIT'S THIS? ELEVEN MINUS ONE?
THAT COMES TAE TEN! IT'S ONLY TAE TIDE US OWER TILL THE MAN GETS NOTHINGS IN!
HOW CAN YE GET NOTHIN' IN?
11-1

Remember, remember –
New Year's in September.

MUTTER! IT'S ENOUGH TAE DRIVE YE DAFT!

WHIT ARE YE MUMPIN' ABOOT?
IT'S JUST NO' RICHT . . .

. . . MY NEEBOR'S GOT HIS CHRISTMAS TREE UP ALREADY – HE WANTS TAE BE THE FIRST PERSON TAE CELEBRATE THE FESTIVE SEASON!

HE'S A SICK MAN, RICHT ENOUGH!

I'VE GOT AN IDEA TAE SETTLE HIS HASH!

SO, THE NEXT WEEK . . .
MIND WHIT TAE DAE, LADS!

AND . . .
WHIT ARE YOU LOT HERE FOR?

WEEL, IF CHRISTMAS WAS LAST WEEK, THIS MUST BE HOGMANAY!
WE'LL BE YER FIRST FIRST FOOTERS!
HERE'S SOME BLACK BUN – NOO, GET THE WHISKY OOT!
GASP!

Who's top o' the class – at recycling glass?

RICHT, NAE MAIR CHUCKIN' OOT O' BOTTLES. WE'LL SAVE THEM AN' TAK' THEM F'R RECYCLIN'.
AYE. THE PLANET NEEDS OOR HELP, WHIT WI' THIS GLOBAL WARMIN' LARK.
GLOBAL WARMIN'? HOO COME I'M FREEZIN'?
GLASS
AN' TAE HELP THE PLANET A WEE BIT MAIR – NAE CANNED DRINKS IN THE HOOSE.
YE'VE A LOT O' BOTTLE SAYIN' THAT, PAW.
AYE – WE'RE "CAN-DO" KIND O' GUYS.
HAUD ON, DAPHNE. NAE POINT IN TAKIN' DRIBS AN' DRABS TAE THE BOTTLE BANK. JIST PIT THEM IN THE GLASS BIN AN' I'LL SORT IT OOT. YE CAN BANK ON ME.
ME THINKS IT'LL RAIN BOTTLE-TAPS AFORE WE'S CAN DAE THAT, PAW.
GLASS
IF YE'RE SO KEEN TAK' THESE PAPERS AWA' DOON TAE THE RECYCLING CENTRE.
KEN THIS, THEY TURN THEM INTO TOILET PAPER.
AYE?
THAT TAK'S ME BACK, PAW – AN' THEY CALL THIS PROGRESS?
SHANKS
THERE'S NOTHING NEW, MAW – BUT AT LEAST YE HAVE SOMETHING TAE READ IN THE LAVVIE.
AT THE RECYCLING CENTRE –
MY, MY, MR BROON. YOUR FAMILY MUST DO A LOT OF READING. HOW COMMENDABLE.
AYE, MEENISTER. IT'S THE POST AN' WEEKLY NEWS, THE PEOPLE'S FREEND. OH, AN' THE DANDY AN' BEANO FOR GRANPAW AN' THE BAIRNS.
BACK HAME –
PAW, GET THAT BUCKET O' BOTTLES AWA' TAE THE BOTTLE BANK. IT'S LIKE THE BOOLIN' CLUB BINS ON A MONDAY MORNIN' IN HERE.
STEADY THE BUFFS, MAW. NAE NEED TAE SHOUT. WE'LL DAE IT NOO.
HELLO AGAIN, MR BROON. YOUR FAMILY MUST DO A LOT OF . . .
RECYCLING? AYE. IT'S A' F'R THE GUID O' THE PLANET, YE UNDERSTAND?
GLASS
I DINNAE KEN ABOOT GLOBAL WARMING BUT PAW'S FACE IS WARMIN' WI' A REAL BEAMER.
AYE – HE'S LOSIN' HIS BOTTLE.

The carry-oot Joe's bought –

makes a'thin' far too hot.

WHAT A BRAW NIGHT. THE BOOLS CLUB SAMBA CLASS! BUT I'M STARVIN' NOW!
I HOPE MAW'S KEPT SOME SUPPER. I GOT CARRIED AWA' DANCIN' WI' ALBERTINA McBOTHYBURGLE!

YE CERTAINLY WERE CARRIED AWA'! YOU WERE NEAR A KERRY-OOT!
IT WIZ JUST A BIT O' FUN!

NOT A SCRAP LEFT FOR THE DANCERS. YE HUNGRY BEGGARS!
THERE'S A WEE BIT O' STEAMED PUDDEN LEFT.

NO' ENOUGH FOR TWA O' US THERE. ALBERTINA McBOTHYBURGLE HAS FAIR WHETTED MY APPETITE.
AYE, FOR WHAT? ALBERTINA? YOU CAN DAE BETTER!
MR KHAN? CAN YE DELIVER TWA O' YER SUPER-VINDALOO CHICKEN MELTDOON SPECIALS? WI' EXTRA CHILLIS!

TINA'S HOT STUFF, YE KEN!
NO' HALF AS HOT AS THAT KERRY-OOT YE'VE ORDERED. YE'LL INJURE YERSEL'S!

I WAS JUST SHUTTIN' THE SHOP SO I'VE GIVEN YOU THE WORKS!
THE VERY DAB! IT SMELLS BRAW! AND IT SMELLS HOT!

I'LL MAYBE BETTER CALL THE FIRE SERVICE FOR ADVICE!
HERE, PIT THE FIREGUARD ROOND YE WHEN YE'RE EATIN' THAT STUFF!
ACH, YE'RE A' JEALOUS. THIS IS SCOTLAND'S FAVOURITE SUPPER!
H. BROWN

AYE, YE'RE THE REAL HOT SHOT DANCERS NOW. MY LEFTOWERS WERENA GUID ENOUGH FOR YE AND LOOK AT YE NOW . . . A RICHT COUPLE O' STEAMED PUDDENS!
THAE HOT LATIN NIGHTS ARE OWER HOT FOR ME . . . I THINK I'LL GO BACK TAE THE COUNTRY DANCING!
SPLOSH!
FAN!

Horace might resort tae cheatin' –

jist tae prove he'll no' be beaten.

THAT'S BRAW PLAYIN', JOE.
AYE. IT'S GRAND TAE HEAR A GOOD TUNE WEEL PLAYED.

CAN I HAE A GO?
YE'LL NEVER HAE THE PUFF FOR IT, HORACE.

WHA TROD ON A CAT? YE CAN HEAR THAT RACKET THE LENGTH O' THE STREET.
WHIT?

I'LL MASTER THESE YET!
FINALLY WE'VE FOUND SOMETHIN' HORACE ISNAE A GENIUS AT!
WHIT?

FACE IT, SON. YE'LL NEVER GET A TUNE OOT O' THESE PIPES.
AYE, NAEBODY CAN BE GUID AT A'THIN', HORACE. IT'S A' RICHT.

I WILL GET A TUNE OOT O' THEM . . . JIST YOU WAIT!
OH, AYE?

WHIT'S HE UP TAE WI' THAT AULD THING?
HE'S GOT YON LOOK HE GIES THE TEACHERS . . .
. . . WHEN HE'S RICHT AN' THEY'RE WRANG!

YOU HAE TAE HAND IT TAE THE LADDIE. HE HAS GOT A TUNE OOT O' THEM.
PLINK! PLINK!
AYE, BUT THE "SKIRL O' THE GLOCKENSPIEL" HASNA QUITE GOT THE SAME RING TAE IT!

The council's latest plan –

Broons in a caravan.

JINGS!, THE AULD TENEMENT IS NEEDING SOME SORTING. MAYBE IT'S TIME FOR US TO GET ON THE PROPERTY LADDER. IF ONLY MA LOTTERY NUMBER WID COME UP.
NOTHING FLASH, JUST A WEE POOL IN THE BACK GAIRDEN.. VILLA BROON! ACH YE CAN DREAM!
THERE'S A LETTER FOR YOU, PAW.
ANITHER BILL NAE DOOT!
LISTEN! GLEBE STREET HAS BEEN MADE A HOUSING ACTION AREA. WE'RE GETTING DECANTED WHILE THEY DAE THE HOOSE UP.
WHIT!!
DECANTED? DOES THAT MEAN WE HAVE TO LIVE IN A BOTTLE?
MAIR SPACE IN A BOTTLE THAN IN HERE SOMETIMES!
ENTER THE MAN FRAE THE COUNCIL....
I THINK YOU'LL LIKE YOUR TEMPORARY HOME, MR AND MRS BROON. WE'VE COME UP WITH SOMETHING SPECIAL FOR YOUR... YOUR EXTENSIVE EXTENDED FAMILY.
AND SO....
WELL, THEY TELL ME IT'S ONLY FOR A WEEK OR TWA... AND I SUPPOSE IT'S A CHANCE FOR US TO GET TO KNOW EACH OTHER BETTER!
I CANNA BELIEVE YE JUST SAID THAT!

You're best tae aye beware –

o' folk frae doon the stair.

THUMP!
THUMP!

FOWER WEEKS LATER –
I'VE HAD MAIR THAN ENOUGH O' THIS CARAVAN! WHEN IS NUMBER TEN GOIN' TAE BE FINISHED?
DINNA FRET! THE COONCIL TELL US WE CAN MOVE BACK INTAE GLEBE STREET RICHT AWA'!
LET'S GET OOTA HERE!

NAE SHOVIN' AT THE BACK! BAIRNS AN' TALL FOWK FIRST!!
FIRST WE COULDNA A' FIT IN, NOW WE CANNA GET OOT!

MICHTY ME! IT LOOKS..
..JUST THE VERY SAME..
...ONLY THEY'VE CLEANED A' THE SOOT AFF AN' PENTED THE OOTSIDE!
HAVERS!! THAT'S THE ORIGINAL COLOUR O' THE STANE.

SECURITY ENTRY! THAT'LL STOP YER DODGY BOY FRIENDS GETTING IN, DAPHNE.
YE CAN BIN THEM WI'OOT HAVIN' TAE LOOK THEM IN THE E'E! TELL THEM TAE SKEDADDLE DOON THE INTERCOM!
NOW WE ARE A SECURITY CLOSE FAMILY!

THEY'VE GIED OOR HOOSE TAE SOMEONE ELSE!
BROONS
THIS IS US, YE DUNDERHEIDS!
SAME CLOSIE TILES. MAIR NIGHTS ON THE TILES SAYIN' GOODNIGHT TAE YER FELLAS, DAPH.
ONY MAIR CHEEK AND YOU'LL BE SEEIN' HOSPI...TILES!

PAW, YE WEE DARLIN' MAN! LOOK AT THAT COOKER! IT'S MY DREAM COME TRUE!
OCH, AWA'! IT JUST COST A WEE BIT EXTRA!
MAW'S GONE GAGA FOR THE AGA!
AFORE YE KEN, WE'LL BE ON THE TELLY.... CHANGING BROONS!

JINGS! DINNA SAY WE'VE GOT ROTTEN NEIGHBOURS DOONSTAIRS!
THUMP!
THUMP!

IT'LL BE SOME GRUMPY AULD BLOKE LIKE YON ALAN THAT WIZ THERE AFORE. HE COULD HEAR A MOOSE TIP-TOEIN' OWER THE LINO!

AH MICHT HAE KNOWN IT WIZ YOU LOT! WE PENSIONERS NEED A BIT O' PEACE AN' QUIET. KEEP THE NOISE DOON ELSE I'LL HAE YE EVICTED.
WE REALLY DO HAVE A GRUMPY AULD GOWK DOONSTAIRS.

Ye need expert timin' –
f'r poetic rhymin'.

DOUBLE SIX, I CANNAE LOSE, IT'S JIST THE DOMINOES I CHOOSE.
YE KEPT THAT HIDDEN WEEL, AULD TIMER. I DIDNAE KEN YE WERE A RHYMER.
AYE, IT'S NO' HARD FOR A BLOWHARD.
THAT'S THE DOMINOES FINISHED. NOW GWENDOLINE HARTLEY NEUJAMM WILL INSPIRE US WITH SOME VERSIFYING.
YE DINNAE MAK' ME SWOON, YE AULD ROGUE, GRANPAW BROON.
HUM! I'LL BET SHE'S NO' AS GOOD AS ME AT SPOUTIN' OOT THE POETREE.
SOLACE IN CONCRETE FARRAGOES OF LONGING FOR THE VERISIMILITUDE OF CONCATENATION.
COME OAN, GET AFF . . .
. . . IT DOESNAE RHYME OR MAK' ME LAUGH.
MY MUSE IS NOT AMUSED. SOB.
OH, DEAR, THEY'RE OLD AN' SOMEWHAT CROSS . . .
. . . AN WE DON'T GET GRANTS TAE CHURN OOT DROSS.
HOW'S IT GAUN', GRANPAW?
OCH, I SUPPOSE I'M DAEIN' FINE. I CANNAE HELP BUT SPEAK IN RHYME, IT'S LIKE THIS A' THE BLOOMIN' TIME.
WE MUSTN'T HAE YE SPEAKIN' IN VERSE, I CANNAE THINK O' ONYTHING WORSE.
BUT LISTEN, GRANPAW HERE'S THE RUB . . .
. . . WE'LL SEEK A CURE IN THE BOOLIN' CLUB.
YE'VE GOT ME FEELIN' RICHT MOROSE. I'VE FORGOTTEN HOO TAE SPEAK IN PROSE.
BUT GRANPAW BROON, A CURE WE'VE FOUND, ON THE TAP SHELF YE CAN BUY THIS ROUND.
A PITTYVAICH, A LAPHROAIG, A LAGAVULIN AN' A GLENKINCHIE.
BRAW. NAEBODY CAN THINK O' A RHYME FOR A' THAE MALT WHISKIES.

Paw's no' very keen –

on the new wind machine.

WHIT'S THAT? YE'RE CAMPAIGNING AGAINST WIND GENERATORS?
AYE, MR BROON. THEY'RE PLANNING THEM FOR BEN BREEZIE, RIGHT ABOVE YOUR BUT AND BEN.
MICHTY ME, WE CANNAE HAE THAT. THERE'S PLENTY O' WIND UP THERE ALREADY WITHOOT GENERATING ONY MAIR.
ACH, I'M NO' A FAN O' YON BIG FAN.
WE'VE GOT TAE DAE SOMETHING. THEY'RE PLANNIN' TAE PIT WIND MACHINES ON BEN BREEZIE. WE'LL A' BE BLOWN AWA'!
NO, PAW. A WIND GENERATOR GENERATES ELECTRICTY, NOT MAIR WIND . . . JUST LIKE THIS, SEE? THE DRAUGHT BLAWS THE WINDMILL WHICH POWERS THE BULB.
EXCUSE YOU, GRANPAW BROON!
NOO THAT'S HOW WIND IS GENERATED!
BELCH!
ACH, I'M GOIN' UP THAT HILL TAE SEE WHIT THIS IS A' ABOOT.
BEG PUDDIN'!
AND –
A' RIGHT, BOYS. BIT O' A WINDY DAY TAE BE OOT WORKIN' EH? WHIT A JOKE TAE THINK THERE'S ONY ELECTRICITY IN THAT WINDMILL THING O' YOURS.
THERE ISN'T YET, BUT ONCE IT'S CONNECTED IT'LL BE A GREAT SOURCE OF POWER.
IN THAT CASE, I'D BETTER JIST PLUG IT IN FOR YE . . . EEEEK!
CAREFUL, SIR. IT'S LIVE.
WINDY
PAW'S A REAL LIVE WIRE WHEN IT COMES TAE PROTESTIN'.
AH KENT AH DID THE RIGHT THING SIGNIN' YON PETITION. THESE WIND GENERATORS ARE SHOCKING!
I THINK I KEN THE BIGGEST SOURCE O' WIND AN' HOT AIR ROOND HERE.

The weather's jist right –
for flyin' a kite.

PAW! YE LET THAE TWINS SPEND FAR OWER LANG IN FRONT O' THAT COMPUTER. YE SHOULD TAK' THEM OOT IN THE FRESH AIR, LIKE I DID WI' YOU!
AYE! YE'RE RICHT ENOUGH.

COME ON, YOU TWA. WE'RE GOIN' OOTSIDE TAE FLY MY AULD KITE.
AW, PAW!

IT'S A RARE DAY FOR FLEEIN' A KITE.
FOR GETTIN' BLAWN AWA', YE MEAN.
FETCH MA BUNNET, ROVER!

IT DOESNAE WORK, PAW! LOOK – IT'S BROKEN!
WRANG! YER EXCUSE DOESNAE WORK!

YE HAE TAE RUN WI' IT! I'LL SHOW YE!

MICHTY! I FORGOT MA AIN SPEED, NOO IT'S TANGLED UP IN A TREE.
YE'RE BRANCHIN' OOT, PAW!

SIGH! LET'S JIST GIE UP AN' GO HAME, THEN!
ACH, AT LEAST YE TRIED, PAW!

BUT –
WID YE CREDIT IT! LOOK AT THE AULD SCUNNER!
NAE WONDER HE WANTED US OOT THE HOOSE!
RICHT YE ROTTEN WEE ZOMBIE STAR SHIP EATERS. GRANPAW'S EFTER YE!

The lassies find that thanks to Paw –

they cannae give their clathes awa'.

WHIT DO YOU THINK O' THIS, MAGGIE? IT'S NO' TOO SLIMMIN', IS IT? I DINNAE WANT TAE LOOK OWER SKINNY.
SKINNY? NAW, YOU LOOK FA . . . FABULOUS.
AYE! FA . . . FA . . . FANTASTIC!
LOOK AT OOR NEW OOTFITS, MAW? ARE WE NO JIST THE BEE'S KNEES?
ACH, THE PAIR O' YOU LOOK FINE BUT DO YOU NO' THINK YOU'VE GOT ENOUGH CLATHES?
THERE'S NAE SUCH THING AS ENOUGH CLATHES, MAW.
NO, MAGGIE! THIS HOOSE IS LIKE A TEXTILE WAREHOOSE! ENOUGH IS ENOUGH.
JINGS. I MIND WEARIN' THIS WHEN I WAS FIFTEEN, IT LOOKS LIKE IT WOULD STILL FIT ME.
AS WHIT? A SOCK?
WE'LL HAE A RICHT GUID CLEAR-OOT – PAW, HEN AN' JOE'S STUFF TAE.
YOU'RE RIGHT, MAW. THESE ARE A' OWER BIG FOR ME NOO.
AT THE CHARITY SHOP –
OCH, THANKS, MRS BROON. THESE WILL RAISE LOADS O' CASH.
MAK' SURE THEY GO TO A GUID HAME. WE'LL MISS THEM.
AT HAME –
CRIVVENS! IT'S A RICHT CAULD SNAP. WHAUR'S MY AULD DEMOB COAT? I CANNAE FACE WINTER WITHOOT IT. I'LL SEE WHIT THE CHARITY SHOP HAS.
PERFECT. THIS IS JIST LIKE MY AULD COAT – BUT IN A WEE BIT BETTER CONDITION. I'LL TAK' IT.
CAN I INTEREST YOU IN ANYTHING ELSE? WE GOT A LOAD OF GOOD STUFF IN THE DAY.
OCH, YOU DAFT AULD GOWK! THESE ARE THE CLATHES WE JIST TOOK TO THE CHARITY SHOP.
THEY LOOK LIKE THEY'VE SHRUNK, TAE. I'LL NEVER FIT IN THEM NOO.
AN' WHIT WI' OOR NEW CLATHES WE'VE NAE PLACE TO PUT THESE. WHIT ARE YOU GOING TO DO ABOUT THAT?
I'LL HAE THIS CHEST O' DRAWERS – AN' DO YE HAVE A WARDROBE?
MICHTY. WHIT A KIND, CHARITABLE FAMILY YE ARE, MR BROON.

Paw, the auld moan –
should've left things alone.

I'VE GOT A CARD FROM A SECRET ADMIRER AND IT'S ANE O' THEY MUSICAL ANES!
AW! LISTEN! IT'S PLAYIN' 'LOVERS STORY'!
SOPPY NONSENSE!
SHUT IT AFF! I CANNAE STAND YON SICKLY TUNE!
HUMPH! THE LAST O' THE GREAT ROMANTICS!
THEN . . .
A MORE APPRECIATIVE AUDIENCE, I'M SURE. LOOK AT THE CARD I GOT!
VERY NICE!
WHIT BONNIE! IT PLAYS A TUNE!
LOVELY!
I CANNAE TAK' ANY MAIR O' THAT NOISE POLLUTION!
GIE ME THAT CARD!
NAW! LEAVE IT ALONE!
GRAB!
AND . . .
YERK!
WHIT HAVE YE DONE?
TUG!
YE DAFT GOWK! WE'LL BE STUCK WI' THAT TUNE TILL THE BATTERY RUNS OOT!
HERE! YE NEVER TOLD ME YE HAD A MUSICAL RADIATOR!

A wobbly chair, a tap goin' 'dreep' – nae wonder Maw is off her sleep.

SNORE . . . WHEEZE . . . I'D BE HONOURED TAE BE YER OFFICIAL WHISKY TASTER, YER LORDSHIP . . . SNORE . . . SNORT . . . EH? WHIT? WHIT?
PAW! WAKE UP! YE'RE HAVERIN' IN YER SLEEP BUT I CAN STILL HEAR YON TAP DREEPIN'.
THREE WEEKS YE'VE BEEN SAYIN' YE'LL MAK' THAT TAP YER TAP PRIORITY.
ACH, AH'LL FIX THE DRIP IN A JIFFY. DIY'S MA FORTE. OR IS IT MA FIFTY?
HELP MA BOAB!
ER . . . WHILE YOU'RE LEARNIN' TAE SURF, I'LL GET HORACE TAE SURF THE INTERNET AN' FIND US A TWENTY-FOUR HOUR PLUMBER.
WOOOOOOSH!!
AND . . .
THERE! AND NAE FEE, IF GORGEOUS DAPHNE'LL AGREE TAE GO TAE THE GRAND MASTER PLUMBERS' BALL.
OCH, AH CANNAE RESIST A MAN IN OVERALLS.
AYE. BUT USUALLY BAKERS' OVERALLS.
NEXT DAY . . .
JINGS, THIS CHAIR'S WOBBLIER THAN GRANPAW AT HOGMANAY. AH'LL NEED TAE GET A JOINER IN TAE FIX IT.
DINNAE BE DAFT, MAW. ME AN' JOE'LL MEND IT! WE KEN A' ABOOT DAE-IT-YERSEL'!
IS YON EPOXY GLUE? IT'S AWFY HANDY!
THERE'S MAIR TAE A CHAIR THAN YE'D THINK. HAS IT GOT FIVE LEGS OR SIX?
THIS HANDY GLUE HAS GLUED OOR HANDS!
RIGHT! THAT'S IT! IF YE WANT DIY IN THIS HOOSE, YE'LL GET IT!
WE SHOULD HAE SAID, DINNAE PUT ONY HEAVY WEIGHTS ON IT TILL IT SETS . . . ER . . . AH MEAN . . .
THERE! A CHAIR REPAIR WI' NAE MAIR GETTIN' SAIR LANDIN' ON THE FLAIR!
NOW, YOU LOT, IF YE WANT DENNER TONIGHT, YE CAN JIST DAE IT YERSELS!
MY MAW'S AWA' TAE THE FRONT ROOM FOR SOME PEACE FAE YOU HANDLESS LOT. IF SHE WANTS TAE RELAX IN THIS HOOSE, SHE HAS TAE DAE IT HERSEL'.

The Twins look surprisin' –
for goin' out guisin'.

AYE, IT'S THAT TIME O' YEAR AGAIN – HALLOWE'EN.
I CANNAE WAIT TAE SEE WHIT COSTUMES THE YOUNG ANES COME UP WI' TO GO OOT GUISIN'!

HI, A'BODY! ME'S ANE O' THAE ELVISES!
I THINK YE MEAN 'ELVES' MA WEE LAMB.

I'M GOIN' OOT DISGUISED AS A SCIENTIST!
BUT THAT'S NO MUCH O' A DISGUISE, HORACE. YE STILL LOOK LIKE YERSEL'.

IF YE INSIST AS GOIN' OOT AS A SCIENTIST . . .
WHAT'S DAPHNE UP TAE?

. . . AT LEAST GO AS A MAD SCIENTIST, WHA WID BE CONDUCTIN' WEIRD HALLOWE'EN EXPERIMENTS!
THAT'S MAIR LIKE IT!

THE TWINS MUST BE PITTIN' ON SOME ELABORATE DISGUISES.
AYE – THEY'RE HAUDIN' US BACK FAE THE GUISIN'!

AE TWIN! WHAUR'S YER DISGUISE?
I'M WEARIN' IT, PAW.

WE'RE GOIN' OOT AS A MIRROR! I'M THE ITHER TWIN'S REFLECTION!
HE'S BEEN FRAMED!
WEEL, THAT TAK'S A TRICK WI' ME!

There's somethin' no' quite right – aboot this Guy Fawkes night.

I LOVE GOIN' TAE THE SUPERMARKET – I'LL TAK' ANY CHANCE TAE SHOP.
LET'S JIST GET WHIT WE NEED.
BUT WE'RE NO NEEDIN' MUCH! I DINNAE NEED A'BODY HERE WI' ME.
STOP GIRNIN', MAW. WE'RE A' JIST TRYIN' TAE HELP OOT.
CAN ME PUT ME'S DOLLY IN THE TROLLEY?
HELP MA BOAB! LOOK AT A' THIS CHRISTMAS PALAVER. AN' WE'RE ONLY HALF PAST HALLOWE'EN, TAE.
SHOWS HOW OFTEN YOU HELP OOT. SHOPS HAVE BEEN LIKE THIS FOR WEEKS.
LOOK AT THESE MINCE PIES, MAW. THEIR SELL-BY DATE'S THE 10TH O' DECEMBER. THEY'LL NO' EVEN SEE CHRISTMAS.
NO' IF YOU HAE YER BEADY EYE ON THEM THEY'LL NO'. JIST PIT THEM DOON.
THEY'VE GOT A BRAW SELECTION HERE, MAW!
THEY ONLY EVER HAE CHEESE AN' ONION LEFT LATER IN THE YEAR, SO WE'D BETTER STOCK UP ON MAH LOW-FAT, LOW-CARB, JUMBO PACKS O' SALT AN' VINEGAR.
STOP IT! THIS IS JIST GETTIN' DAFT.
I'VE FOUND A REAL BARGAIN – FEED A' THE FAMILY WI' ONE BIRD FOR £9.99.
I'VE GOT ANE IN THE TROLLEY ALREADY AS WEEL.
WHIT A CREW O' DUNDERHEIDS. IT'LL BE LIKE THIS EVERY WEEK FOR THE NEXT TWA MONTHS.
AT HAME –
WE'LL NEVER GET A' THIS IN THE FRIDGE.
BUT IT'LL A' GO AFF.
THAT'S WHAT YE GET FOR NO' LISTENIN' TAE SENSE. YE'VE A' GOT EEN BIGGER THAN YER BELLIES – OR BRAINS.
SO –
MERRY CHRISTMAS.
HAPPY GUY FAWKES NICHT, A'BODY.
WELL, WE COULDNAE LET THE GRUB GO TAE WASTE.
CRACKERS IN NOVEMBER.
THIS HALE FAMILY IS CRACKERS.
WHIT'LL WE DAE AT CHRISTMAS? A BONFIRE WI' SANTY CLAUS ON TAP?

Hendrix or Shand – which Jimmy is grand?

THAT'S BRAW, HORACE. JUST LIKE THON ROBBIE WILLIAMS.
HUH! WHIT I WANT IS A BIT O' ROBBIE SHEPHERD.
WHIT ARE YE LOOKIN' FOR, PAW? WE SOLD NEARLY EVERYTHING IN THERE ON EBAY.
NO' QUITE EVERYTHING . . .
FORGET YER RADIOPLAYS AND COLDHEADS, IT'S TIME FOR SOME PROPER MUSIC. D'YE KEN ONY O' JIMMY'S STUFF, HORACE?
HENDRIX WIS A WEE BIT AFORE MY TIME.
JIMMY SHAND? OCH PAW, AWA' AND GET MODERN.
AYE, GIE US TRAVERSE, OR THE SPECCY TWINS, THE COMPLAINERS.
HUH! EVEN I KEN IT'S THE PROCLAIMERS AND TRAVIS. YOUNG FOWK DON'T APPRECIATE GUID MUSIC.
BUT –
BRAW! YE'VE GOT YER AULD MELODEON WI' YE, LET'S GO FOR A TUNE. I KEN A GUID PLACE.
A'RICHT. JUST AULD CODGERS LIKE US. THE ONLY ANES THAT APPRECIATE REAL MUSIC.
WRANG, PAW –
COME AWA' BEN THE HOOSE. WE'RE JUST PLAYIN' SOME SHAND. THE LAIRD O' AUCHTERMUCHTY'S BIGGER THAN JAMES BLUNT AROOND HERE!
JINGS! THEY'RE ONLY HALF MY AGE.
A QUARTER. COME ON, FORGET KYLIE – LET'S CEILIDH.

The greyhound sounds richt flash –

but he'll no' cut a dash.

IN THE PARK
HERE COMES AULD JOHNNY McGIBBON – HULLO THERE, JOHNNY!

WHIT'S THAT TRAILING ALONG AHENT HIM?

THAT'S HIS GREYHOUND, "LIGHTNING"!
SNIGGER!

HOW'S IT GOIN', LADS?
NO' BAD – YERSEL'?

I'M STILL TRAININ' LIGHTNING FOR HIS FIRST BIG RACE!

DUG TRAINING'S AN EXPENSIVE BUSINESS.
WHIT'S HE GOIN' TAE RACE HIM AGAINST? SNAILS OR TORTOISES?
PANT!

LIGHTNING HERE EATS LIKE A HORSE!

PAW AND GRANDPAW CANNAE HOLD IT IN!
CHORTLE!
HAW-HAW! JIST A PITY HE CANNAE RUN LIKE ONE!
CHEEK!
MUTTER! CHEEKY AULD GOWKS!

Hen's doon in the mooth – wi' an awfy sair tooth.

THAT'S DAPH ON THE PHONE TAE HER NEW BOYFRIEND. I WONDER WHEN WE'RE GOING TO MEET HIM?
IS HE THE FIFTEENTH OR SIXTEENTH ONE THIS YEAR?
THAT WIS JEROME. HE'S BEEN FEELING A WEE BIT DOON IN THE MOOTH WI' HIS WORK, SO HE'S COMIN' ROOND THE NICHT.
THAT'S BRAW. I'LL MAK' MY SPECIAL CHEWY CARAMEL CAKE.
MEANWHILE –
AW, MA MOOTH. THIS TOOTHACHE'S DOIN' MA HEID IN.
I HEAR A NEW DENTIST IS OPENIN' UP. WE'D BETTER REGISTER.
ACH, THERE'S NAE NEED FOR ME TAE DO THAT . . .
. . . MA WALLIES HAVENAE DECAYED A BIT IN FIFTY YEARS, BY GUM.
I'M SURPRISED THEY'RE NO' WORN DOON TAE CHINA CHIPS THE AMOUNT O' BLETHERIN' YOU DAE.
AYE, OR WI' YOU PLAYIN' THEM LIKE CASTANETS ONY TIME YE HEAR 'UNA PALOMA BLANCA'!
CRIVVENS. A' THESE FOLK WANT TO SIGN UP WI' THE NEW DENTIST.
DENTIST
ACH, THEY SHOULD HAE HAD THEIR TEETH OOT LIKE ME – IT'S CHEAPER, WHITER AN' SAVES BRUSHIN'.
AT TEN GLEBE STREET –
YOU MUST BE DAPHNE'S NEW MAN. HOW ARE YE?
ACH, NO BAD – I'VE BEEN AWFY BUSY DRILLIN' A' DAY.
DRILLIN'? ARE YE ON THE OIL RIGS?
EH? OH, I SEE – THIS RAG? I WIS JUST FIXIN' MY AULD TRIUMPH MOTORBIKE. I'M A DENTIST ACTUALLY . . .
ARE YE NOW . . .
JEROME. SO THAT'S WHY YE WERE DOON IN THE MOOTH AT WORK. YE'RE A DENTIST.
AYE, AN' I SHOULD HAE KEPT MY MOOTH SHUT. OPEN WIDE, HEN.
BRUSH YER TEETH, DAPH. THAT'S THE DRILL IF YE'RE WANTIN' A KISS AFF JEROME.

Somebody is sure tae show –

jist how tae ride the rodeo.

IT SHOULD BE A GUID NICHT DOON AT THE BOOLIN' CLUB!
AYE! THEY'VE HIRED ANE O' THAE MECHANICAL BULLS.

AND . . .
I'LL HAE A GO FIRST!
ON YE GO, RODEO JOE!

BUT . . .
OOF! IT'S NO' EASY!
TWA SECONDS! YON'S PITTIFUL!

SOON . . .
NAEBODY'S MANAGED MAIR THAN TEN SECONDS.
GROAN! IT'S AWFY DIFFICULT!

STAND BACK AND LET A MASTER SHOW YE HOW IT'S DONE!
CAREFUL, AULD YIN!

AND . . .
AMAZIN'! HE'S BEEN OAN IT F'R MEENITS!

WEEL DONE!
HOW'D YE MANAGE THAT? WHAUR DID YE LEARN TAE BE A RODEO STAR?

GRANPAW EXPLAINS . . .
WHIT A CRAFTY AULD GOWK!
I GET PLENTY O' PRACTICE AT HAME WHEN THAT ANCIENT WASHIN' MACHINE O' MINE IS OAN THE SPIN CYCLE!

Fancy coffee's jist a waste –

it shows a total lack o' taste.

AFTER TEA –
THERE'S NOTHIN' FINISHES AFF A GUID MEAL BETTER THAN A CUP O' TEA AN' A BLETHER.
PAW'S A BLETHER!
SORRY MAW. THEY'RE HAEIN' A COFFEE TASTIN' AT THE COFFEE EMPORIUM. YE CAN SAMPLE COFFEES FAE A' ROOND THE WORLD.
JINGS! HAS MA TEA GONE TAE POT?
COFFEE EMPORIUM? UP TAE LAST MONTH THAT WIS CATHY'S CAFE.
AT COSTLY COFFEES –
JINGS! LOOK AT THAT PRICE LIST. AN' THEM POSIN' AROOND WI' THEIR UNPRONOONCEABLE BLENDS.
MM! SIC A SUBTLE AROMA.
BACK HAME –
WHIT ARE YE RAKIN' FOR?
IT'S IN HERE SOMEWHAUR.
HERE IT IS. OOR AULD COFFEE PERCOLATOR. MIND HOW IT GURGLED AWA' FOR HOURS TILL THE BREW WIS JUST RICHT.
AYE. AN IT TURNED YER TEETH BROON. BEIN' CA'ED BROON'S ENOUGH FOR ME.
I'LL SHOW THAE ESPRESSO SNOBS HOW TAE MAK' A CHEAP CUP OF COFFEE THAT'S JUST AS GUID.
ME DINNAE LIKE YOUR COFFEE ESCALATOR.
IT'S OWER FU' O' BEANS – COFFEE BEANS!
BLOOP!
OCH, PAW. AN' WE BROCHT YOU AND MAW A NICE MACCIATO EACH.
SEE YE LATER PERCOLATOR!

On her birthday Maw is lookin' –
for some truly Scottish cookin'.

NAE COOKIN' FOR YOU THE DAY, BONNIE LASS. YE'RE GOIN' OOT FOR DENNER ON YER BIRTHDAY.

RICHT, WHAT'LL IT BE? YOUR CHOICE, MAW.

WHIT ABOOT CARBONARA AN' A FEW BOTTLES O' CHIANTI, AN' YER FAVOURITE NEAPOLITAN CHOC ICE CREAM?
SIGNORA BROON – IN YE COME, MA WEE SCOTS BAMBINI . . .

I DINNAE FANCY THAT RESTAURANT, PAW. LAST TIME THEY PIT OWER MUCH CREAM OWER A'THING.
NAE TASTE, YOU LOT. WIDNAE KEN A GUID THING IF IT SMACKED YE ON THE HEID.
HE'S NAE MAIR ITALIAN THAN ME.

TRY OUR PAELLA AND MEDITERRANEAN ROAST VEGETABLES, WI' A NICE RIOJA AN' SANGRIA, JUST LIKE IN TORREMOLINOS . . .
AYE, THAT REMINDS ME O' OOR HOLIDAY.

WE A' HAD YOU-KNOW-WHAT FOR TWA DAYS, A' QUEUEIN' FOR ONE TOILET!
VIVA ESPANA, WE'VE GOT IT ON CD IN THE RESTAURANT.
STAMP!

YE KEN, IT'S AWFY NICE O' YE TAE TREAT ME LIKE THIS, BUT I'M A REAL HAME GIRL AT HEART. WHIT I'D LIKE IS SOME AUTHENTIC SCOTTISH FOOD.

SO –
POPPADOMS AN' ONION CHUTNEY TAE START. SIX CHAPPATIES, TWA CHICKEN VINDALOOS, A MADRAS, SAG GHOST, PRAWN TIKKA, ROGAN JOSH AND A CEYLON MASSALA, JACOB.
NOW YE'RE TALKIN'.

The lads'll hae tae shift –

tae reach 'The Fireman's Lift'.

SO, DAPH – WHIT DE YE THINK ABOOT THE POLE DANCIN'?
AWFY IMPRESSIVE. I THINK WE SHOULD GIVE IT A GO!
DID I HEAR RIGHT?

TWA DOCHTERS O' MINE MAKIN' SPECTACLES O' THEMSELVES? OWER MA DEID BODY!
DISGUSTIN'! MAW'LL GO UP THE POLE!

JUST STAY OOT O' IT, YOU ANES. OOR DANCIN'S OOR AIN BUSINESS!

AH ONLY KEN THE ONE POLE DANCIN' CLUB IN TOON – AN' IT'S CA'ED THE FIREMAN'S LIFT!
WE'LL NO' NEED A LIFT. WE'LL WALK!

BUT –
NO! YE CANNAE GO IN JUST TAE CHECK. ON YER BIKE!
AN' YE'RE NO' SMARTLY DRESSED. JUST AFF THE BACKSHIFT, ARE YE?
FIREMANS LIFT. MEMBERS ONLY.

AH JIST HOPE MA WEE LASSIES ARENAE INSIDE. MAYBE I CAN STILL TALK THEM OOT O' IT!
STEADY AS YE GO, PAW!
AYE, AYE!

THE LENGTHS SOME FOWK GO TAE, TAE AVOID PAYIN'. AN' YOU THE BOOLIN' CLUB SECRETARY, TAE!
POLICE
AT YOUR AGE, YE SHOULD BE ASHAMED O' YERSEL'!

POLISH EX SERVICEMENS CLUB
LOOK AT YOU THREE, AWA' UP THE POLIS' STATION. WHAT HAE YE BEEN DAEIN'?
AN' HERE'S DAPH WI' HER DANCIN' POLE, SEZAR SYZINSKI!
HE'S FAE WARSAW. YE SHOULD SEE THIS POLE DANCIN' THE MAZURKA!

Life's a laugh –

when the power goes aff.

JINGS! THE LICHTS ARE BLAZIN' THE TELLY'S BLARIN', THE MICROWAVE'S PINGIN' . . .
AN' THAT'S A RECIPE FOR . . .

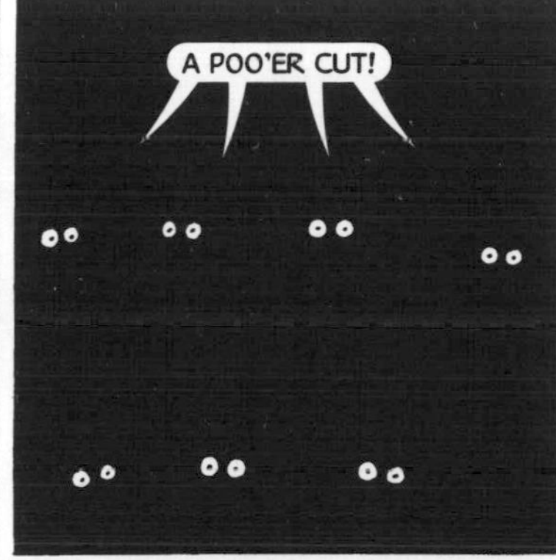
A POO'ER CUT!

MAW! ME DISNAE LIKE THE DARKNESS!
PAW'S LICHTIN' A CANDLE, BAIRN!

I'LL SHOW YE HOW TAE MAK' SHADOWGRAPHS, PET!
LIKE YE DID IN THE AULD DAYS?

SEE! I'VE MADE YE A CROCODILE!
AN' YE MADE IT SNAPPY.

HERE'S MINE! A TORTOISE!
I THINK IT'S BEEN HIBERNATIN'!
PAW'S JIST JEALOUS!
AYE. JIST 'CAUSE YE'LL NEVER CATCH HIM SHELLIN' OOT ON ANYTHING!

AN' HERE'S HOW YE MAK' A RABBIT, BAIRN!
AYE, YE'RE FOREVER RABBITIN' ON, DAPHNE!
FUNNY BUNNY!

AH! THAT'S THE POO'ER BACK ON!
LET THERE BE LIGHT!

MAW! ME LIKED THAT POO'ER CUT!
AYE, BUT IT'S ONLY GUID FOR A WEE WHILEY, PET!
AYE, YE'RE ANE O' US CONTRARY BROONS, PET. A'THIN' GOIN' DARK BRIGHTENS UP YER DAY.

Granpaw shows the way – tae train yer memory.

PIT THE KETTLE OAN – I COULD FAIR DAE WI' A . . . WATCHAMACALLIT?
A CUP OF TEA?
HI, GRANPAW!

AYE, PET! AND ANE O' YER THINGUMMYBOBS?
GRIDDLE SCONES?

I'M WORRIED ABOOT YE. YER MEMORY'S GETTIN' LIKE A SIEVE!
BRAW!

DINNAE BE DAFT, LADDIE – I'M AS SHARP AS A TACK! GIE ME THE PHONE BOOK!
OKAY! OKAY!

AND . . .
THIS'LL TAK' INTENSE CONCENTRATION!
I WONDER WHIT ME'S GRANPAW IS DAEIN'?

RICHT! FINISHED!
WHIT HAVE YE FINISHED?
FINISHED BEIN' A DAFT AULD GOWK?

NAW! I'VE MEMORISED FIVE PAGES O' NAMES OOT O' THE PHONE BOOK!
A POUCH O' BACCY SAYS YE HAVENAE!

BUT . . .
SMITH, SMITH, SMITH, SMITH, SMITH, SMITH, SMITH, SMITH, SMITH, SMITH, SMITH . . .
HE SET YE UP GUID AND PROPER!
MUTTER! HE'S STILL SHARP ENOUGH TAE TAK' BACCY AFF ME!
NOW ME KENS WHIT GRANPAW WAS UP TAE!

It seems that naebody can tell –

why Maw has lost her sense o' smell.

JINGS! I LOVE A PIECE O' STRONG SCOTTISH CHEESE. I THINK I'LL GET A PIECE AS A WEE TREAT.
WICK EXTRA WIFFY
GROO! MAW'S NOSE DISNAE KNOW BEST!
OCH! THERE'S NOTHIN' LIKE YON CASTLEMILK BLUE WI' EXTRA MAGGOTS. I CANNAE SEE BLUE CHEESE BUT I'VE GOT TAE HAVE IT!
ME SMELLS TROUBLE!
CRIVVENS! NO' AGAIN. MAW AN' HER CHEESES! THAT LAST LUMP O' STILTON GREW A FUR COAT IN THREE DAYS!
AYE – THEN WALKED OOT THE DOOR ON ITS AIN. YE COULD SMELL IT ABOVE DAPHNE'S PERFUME.
THEY'LL BE REPORTING A GAS LEAK, NEXT!
I'M AFF TAE TONI'S FOR CHIPS!
WAIT FOR ME! I'M CHEESED AFF TAE!
EVEN I'VE LOST MY APPETITE, MAW.
AYE! THIS IS THE LIFE. SOMETIMES YE HAE TAE TAK' DRASTIC MEASURES IF YE WANT TAE GET SOME PEACE TAE WATCH CORONATION STREET!
A' THESE YEARS, AN' I'VE NEVER WORKED OUT HOW MAW CAN COPE WI' THAT STRONG CHEESE.
IT'S LIKE SHE'S IMMUNE!
SHE'S GOT A CHEESEPROOF NOSE. WHIT COULD HAVE CAUSED IT?
ACH, WELL – EFTER CORRIE IT'S TIME FOR THE SOCK WASHIN'!
AMAZIN'! SOME FOLKS' FEET SMELL, BUT NO' THE BROON FEMILY. I CANNAE UNDERSTAND IT!
DOES THAT NO' TAK' THE BISCUIT – THE CHEESE BISCUIT!

Ernie makes an extra trip – takin' rubbish aff the skip.

AN EMPTY COONCIL SKIP! WATCH THIS, IT'LL BE FU' IN TEN MINUTES.
THAT GIES US FIVE MINUTES! TAE THE LOCK-UP!
SO -
I'VE DRESSED THE CART FOR A BRIDE, YE KEN.
THIS IS GUID O' YE, ERNIE. THE LOCK UP'S FU' TAE THE GUNNELS.
OH, WELL, THE WEDDING'S NO' FOR A WEE BIT YET.
FIFTEEN MINUTES LATER -
JINGS! THE COONCIL HAVE TA'EN A' O' HEN AN' JOE'S STUFF FAE THEIR LOCK-UP.
SOMEBODY MUST HAE COMPLAINED. TELT ON THEM EFTER THAT DOMINOES GAME. SOME BAD LOSER.
SO -
GUID JOB YE FINISHED THAT WEDDIN' EARLY, ERNIE.
IT NEVER STARTED. THE MINISTER DIDNAE TURN UP. ARE YE SURE THE LADS WANT THEIR STUFF BACK?
TRUST ME. WE'LL LOOK EFTER IT TILL WE SORT EVERYTHING OOT WI' THE COONCIL!
MEANWHILE -
THE SKIP'S EMPTIED A'READY. THE COONCIL ARE AWFY EFFICIENT THE DAY.
IF WE CAN GET A SHIFT ON WE CAN EMPTY MAIR RUBBISH FAE THE HOOSE.
EMPTY
LUCKY I WAS PASSIN', OR YER STUFF WOULD HAE BEEN ON THE DUMP!
BUT THAT'S WHAT WE WANTED, YE AULD GOWK. LOCK-UP? YOU SHOULD BE LOCKED UP!
SO -
WEE MISUNDERSTANDIN', ERNIE!
WE'LL HAE TAE HURRY. THE WEDDING'S ON AGAIN. THEY GOT A MEENISTER AFF THE INTERNET.

ACH! THE SKIP'S GONE. THE COONCIL KEEPS MOVIN' THE SKIP AFORE FOWK CAN PIT THINGS IN IT.
WE'VE NAE TIME TAE TAK' A' THIS STUFF BACK NOW.

THERE'S THE BLUSHIN' BRIDE . . . NAE WONDER SHE'S BLUSHIN' SHARIN' HER WEDDING TRANSPORT WI' THAT RUBBISH!
ACH, SHE'LL BRIGHTEN UP ANCE SHE'S SKIPPIN' DOON THE AISLE.

Has Granpaw gone ravin' –

instead o' behavin'?

I'D HAE THOCHT YOUR FAITHER WOULD BE A BIT AULD FOR DISCOS, MR BROON, OR IS IT ANE O' THEY RAVES HE'S PLANNIN'?
EH? WHIT ON EARTH ARE YE HAVER . . . ER . . . MEANIN'?

HE WIS JIST ASKIN' ME IF I KENNED WHAUR HE COULD HIRE A D.J. FOR DANCIN' . . .
WIS HE, NOO? I'LL GIE HIM A RAVE OR TWA WHEN I SEE HIM!

BUT, AT HAME . . .
A DISCO? YE MUST BE MISTAKEN, PAW. YE KEN THIS FAMILY FOR GETTIN' THE WRANG END O' THE STICK.
AYE, BUT MA HEARIN' WORKS FINE AN' SHE DEFINITELY SAID A D.J. WIS WHIT HE WIS AFTER.

YO! YO! YO! WORD UP FOR M.C. JOE, BIGGIN' IT UP WITH SOME BANGIN' TUNES!
IT'LL BE A BANG ROOND THE LUG IF YE DINNAE QUIT YER GABBLE AN' START SPEAKIN' NORMAL LIKE US FOWK, YE NUMPTY! JINGS! M.C. MUST STAND FOR MUCKLE CLOWN!

MAYBE HE'LL WANT SOME HIP-HOP AN' SOME SCRATCHIN' ON THE DECKS.
HIP REPLACEMENT'S MAIR LIKE IT! AN' YE'D BETTER NO' SCRATCH MA JIMMY SHAND LPS.
OOH! STOP IT, HORACE. IT SOONDS LIKE AN ACCORDION BEIN' RAN OWER WI' A LAWN MOWER.

HULLO, FOWKS, I WIS WONDERIN' IF ONY O' YOU HAD A LOAN O' . . .
HAUD IT RIGHT THERE! DINNAE EVEN THINK O' BORROWIN' ONY O' MY CDS. THESE ARE BOY BANDS, NO' AULD BOY BANDS.

CDS? IT'S NOT CDS I NEED. I WIS LOOKIN' FOR A LOAN O' A DENNER JACKET FOR THE O.A.P. DANCE.
A DENNER JACKET? THAT'S THE D.J. YE WERE AFTER?

AND . . .
TA, PAW, THIS'LL FIT FINE. WEEL, BETTER THAN HEN'S DID.
AN' THERE WIS YOU THINKIN' HE WISNAE ACTIN' HIS AGE, YE'RE TOO QUICK JUMPIN' TAE CONCLUSIONS!

BUT . . .
PIT ON SETTERDAY NICHT FEVER! I'M READY TAE CUT A RUG!
AWA' YE AULD FOGEY, GET WI' THE TIMES! TURN UP THE BASS!
WE MICHT BE AULD BUT THERE'S PLENTY O' MOVES IN US YET! PLAY IT LOUD, MAN!
GOOD PARTY, BROON! MUCH BETTER THAN BORIN' TEA DANCES!

Padded up frae head tae toe –
that's the shoppin' clathes for Joe.

WHIT'S WI' THE PLUS FOURS, JOE? ARE YE PLANNIN' ON GOLFIN' WI' GRANPAW?
WRANG, HEN. GUESS AGAIN.

IT DISNAE TAK' A GENIUS TAE SEE YE'RE GOIN' TAE PLAY ICE HOCKEY.
WELL, THAT MAK'S YE NO' A GENIUS, HORACE.

THERE! I'M READY NOW!
BASEBALL? LACROSSE? I KEN JOE'S THE SPORTY ANE, BUT THIS IS RIDICULOUS.

MIND YERSEL' GOIN' DOONSTAIRS ON THAE SKATES O' YOURS.
GET YER SKATES ON, JOE!

SO -
JINGS! JOE BROON MUST BE PLAYIN' FOR FIVE DIFFERENT TEAMS AT ONCE!

IN STORE -
I'LL HAE THIS, AN' THIS, AN JIST PIT IT A' ON MY ACCOUNT!
THERE'S NAE ACCOUNTIN' FOR THAE BROONS!

THEN -
YE SEE SOME FUNNY SICHTS AT THIS TIME O' YEAR, BUT THAT BEATS ALL!

AT HAME -
THAT'S MA CHRISTMAS SHOPPIN' DONE IN FIFTEEN MEENITS FLAT. AN' MY ICE HOCKEY PADDIN' SAVED ME FRAE ONY BRUISIN'!
JOE BROON ONE, CHRISTMAS SHOPPIN' NIL!

An artificial tree's no use –

it disnae hae the smell o' spruce.

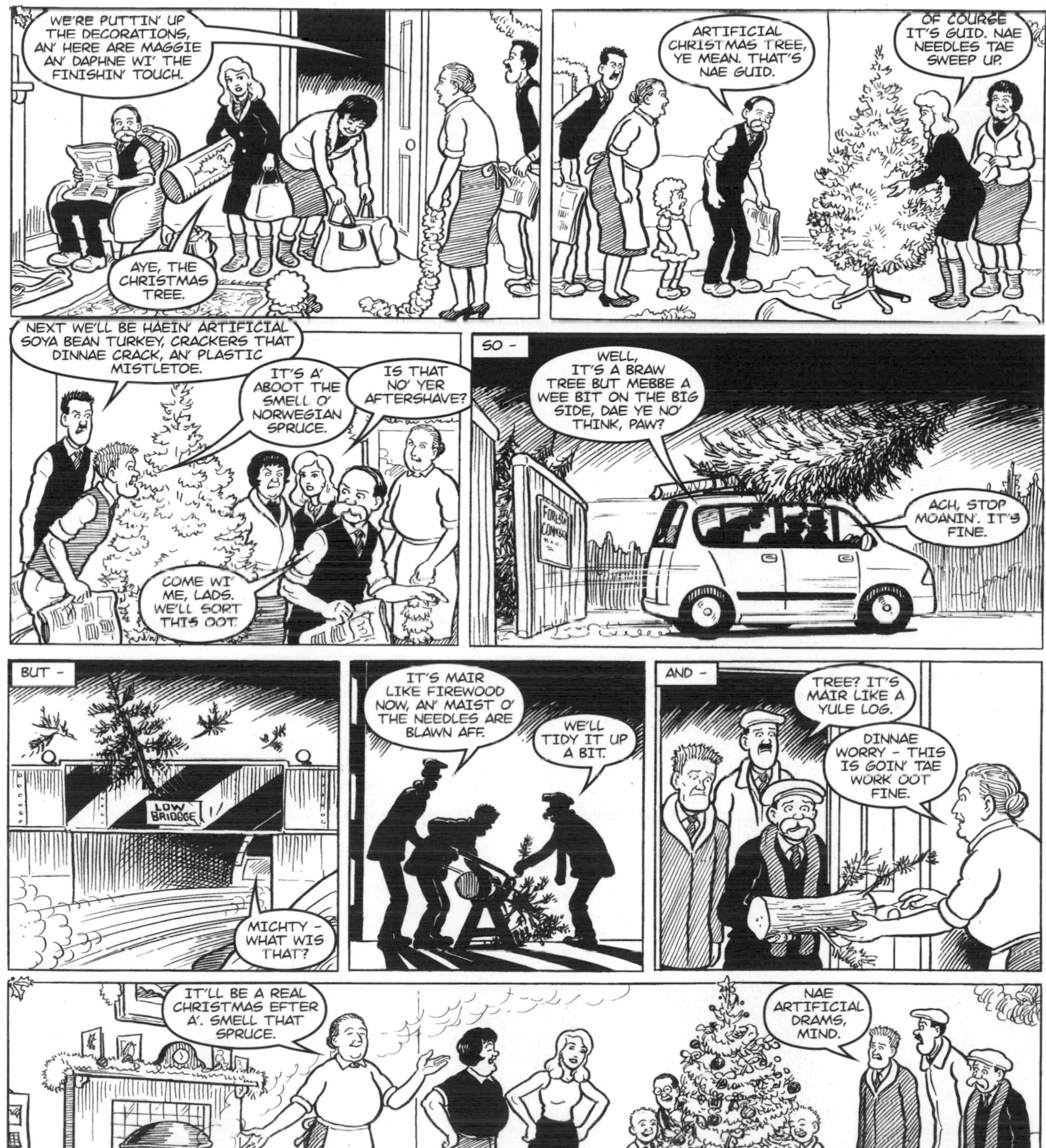

WE'RE PUTTIN' UP THE DECORATIONS, AN' HERE ARE MAGGIE AN' DAPHNE WI' THE FINISHIN' TOUCH.
AYE, THE CHRISTMAS TREE.
ARTIFICIAL CHRISTMAS TREE, YE MEAN. THAT'S NAE GUID.
OF COURSE IT'S GUID. NAE NEEDLES TAE SWEEP UP.
NEXT WE'LL BE HAEIN' ARTIFICIAL SOYA BEAN TURKEY, CRACKERS THAT DINNAE CRACK, AN' PLASTIC MISTLETOE.
IT'S A' ABOOT THE SMELL O' NORWEGIAN SPRUCE.
IS THAT NO' YER AFTERSHAVE?
COME WI' ME, LADS. WE'LL SORT THIS OOT.
SO –
WELL, IT'S A BRAW TREE BUT MEBBE A WEE BIT ON THE BIG SIDE, DAE YE NO' THINK, PAW?
ACH, STOP MOANIN'. IT'S FINE.
BUT –
LOW BRIDGE
MICHTY – WHAT WIS THAT?
IT'S MAIR LIKE FIREWOOD NOW, AN' MAIST O' THE NEEDLES ARE BLAWN AFF.
WE'LL TIDY IT UP A BIT.
AND –
TREE? IT'S MAIR LIKE A YULE LOG.
DINNAE WORRY – THIS IS GOIN' TAE WORK OOT FINE.
IT'LL BE A REAL CHRISTMAS EFTER A'. SMELL THAT SPRUCE.
NAE ARTIFICIAL DRAMS, MIND.

Paw cannae help but feel –

they've tidied up ower weel.

BOXING DAY –
JINGS! LOOK AT A' THE WRAPPIN' PAPER AN' PACKAGES. THERE DIDNAE SEEM THAT MUCH YESTERDAY.
IT'S GROWN OVERNIGHT!

JUST LEAVE THE TIDYIN' TAE US. YOU HAD A BUSY DAY YESTERDAY, MAW.
AYE, A WEE BREAK WID BE NICE. YE COULD CA' IT A PACKAGE HOLIDAY!

YAWN! ME WENT TAE BED OWER LATE LAST NICHT. ME'S STILL SLEEPY.
MIND WHAUR YE'RE GOIN', PET. YE DINNAE WANT SWEPT UP WI' A' THIS RUBBISH, NOO!

WHAUR ARE WE GOIN' TAE PIT A' THIS STUFF EFTER WE'VE TIDIED IT?

I'VE PHONED JOCK McGHEE. HE'S GOT A SKIP OOT THE BACK WE CAN PIT THE RUBBISH IN.
THAT'S GUID O' JOCK.

WELL THAT WENT REALLY SMOOTHLY F'R ONCE!
AMAZIN' WHIT YE CAN DAE WHEN YE SKIP TAE IT!

WHAUR'S THE BAIRN? YE'D BETTER NO' HAVE . . .
JINGS! THE BOXES!
EFTER YOU JOKIN' ABOOT IT, TOO!

BAIRN! SPEAK TAE US. DID WE PIT YE IN THE SKIP BY MISTAKE?
I SHOULDNAE HAVE SAID THINGS WERE GOIN' SMOOTHLY.
TSK. CHRISTMAS JIST PAST AN' THAE BROONS ARE RAKIN' ABOOT IN A SKIP!

HERE'S THE WEE LAMB. SHE'S CATCHIN' UP ON SLEEP, SAFELY OOT O' THE WAY IN THE DOLL'S HOOSE SANTA BROCHT HER.
WE'LL HAE A CUP O' TEA, THEN WE'LL TELL THE MEN.